Tiny Stories for Greek Learners

Short Stories in Greek for Beginners and Intermediate Learners

Adonis Demetriou

Copyright © 2022 Adonis Demetriou
All rights reserved.
Although the author and publisher have made every effort to ensure that the information presented in this book was correct at the present time, the author and publisher do not assume and hereby disclaim any liability to any party for any loss, damage, or disruption caused by errors or omissions, whether such errors or omissions result from negligence, accident, or any other cause.

This book was designed using resources from www.freepik.com

greenthumbpublishing@gmail.com

Contents

Introduction

Reading in a foreign language is one of the most effective ways for you to improve language skills and expand vocabulary. However, it can sometimes be difficult to find engaging reading materials at an appropriate level that provide a feeling of achievement and a sense of progress. Most books and articles written for native speakers can be too long and difficult to understand or may have very high-level vocabulary so you feel overwhelmed and give up. If these problems sound familiar, then this book is for you!

Tiny Stories for Greek learners is a collection of 25 unconventional and entertaining short stories that are designed to help beginner to intermediate level Greek learners improve their language skills.

These short stories create a supportive reading environment by including;

- Rich linguistic content in different genres to keep you entertained and expose you to a variety of word forms.
- Shorter stories in chapters to give you the satisfaction of finishing stories and progressing quickly.
- Texts written at your level so they are more easily comprehended and not overwhelming.
- English translation on alternating pages so you can directly refer to it line by line while reading the Greek story.
- Key vocabulary is printed **bold** throughout the story and translation to help you understand unfamiliar words more easily.
- Comprehension questions to test your understanding

of key events and to encourage you to read in more detail.

So whether you want to expand your vocabulary, improve your comprehension, or simply read for fun, this book is the biggest step forward you will take in your studies this year. Tiny stories for Greek learners will give you all the support you need, so sit back, relax, and let your imagination run wild as you are transported to a magical world of adventure, mystery and intrigue – in Greek!

How to use this book

Reading is a difficult talent to master. We use a range of micro-skills to help us read in our native languages. For example, we might skim a passage to get a rough understanding, or gist, of what it's about. Alternatively, we might comb through numerous pages of a train schedule in search of a specific time or location. While these micro-skills are second nature when reading in our native languages, research reveals that we often forget most of them when reading in a foreign language. When learning a foreign language, we normally begin at the beginning of a text and work our way through it, trying to understand every single word. Inevitably, we come across unfamiliar or complex terms and become annoyed by our inability to comprehend them.

One of the biggest advantages of reading in a foreign language is that you are exposed to a vast number of phrases and expressions that are used in everyday situations. Extensive reading is a term used to describe reading for pleasure in order to learn a language. It's not like reading a textbook, when conversations or texts are designed to be read slowly and carefully with the goal of comprehending every word. "Intensive reading" refers to reading that is done to achieve specific learning goals or complete tasks. To put it another way, thorough reading in textbooks usually aids in the learning of grammar rules and particular vocabulary, but extensive reading of stories aids in the learning of natural language.

Tiny stories for Greek learners will provide you with opportunities to learn more about natural Greek language in use, although you may have started your language learning journey with solely textbooks. Here are a few pointers to keep in mind as you read the stories in this book to get the most out of them: When it comes to reading, enjoyment and a sense of accomplishment are critical. You keep coming back for more because you enjoy what you're reading. Reading each story from beginning to end is the best method to enjoy reading stories and feel accomplished. As a result, the most crucial thing is to get to the end of a story. It's actually more crucial than knowing every single word

The more you read, the more you will gain knowledge. You will quickly have a knowledge of how Greek works if you read larger books for pleasure. However, keep in mind that in order to get the full benefits of extensive reading, you must first read a sufficiently substantial volume. Reading a few pages here and there may teach you a few new words, but it won't make a significant difference in your overall level of Greek.

Accept the fact that you will not comprehend everything you read in a novel. This is, without a doubt, the most crucial point! Always remember that not understanding all of the words or sentences is entirely acceptable. It does not imply that your language skills are inadequate or that you are performing poorly. It indicates that you are actively involved in the learning process.

Reading guide

In order to get the most from reading Tiny Stories for Greek Learners, it will be best for you to follow this simple six-step reading process for each chapter of the stories:

1. Read the chapter title. Think about what the story might be about. Then read the story all the way through. Your aim is simply to reach the end of the story. Therefore, do not stop to look up words and do not worry if there are things you do not understand. Simply try to follow the plot.

2. When you reach the end of the story, scan the English translation to see if you have understood what has happened and pick up any context you may have missed.

3. Go back and read the same story again. If you like, you can focus more on story details than before, but otherwise simply read it through one more time.

4. Next, work through the comprehension questions in Greek to check your understanding of key events in the story. If you do not understand the questions fully, do not worry. Use you knowledge to answer as best you can.

5. At this point, you should have some understanding of the main events of the chapter. If not, you may wish to re-read the chapter a few times using the translation to check unknown words and phrases until you feel confident.

Once you are ready and confident that you understand what has happened – whether it's after one reading of the story or several – move on to the next story and continue enjoying the story at your own pace, just as you would any other book.

Only once you have completed a story in its entirety should you consider going back and studying the story language in more depth if you wish. Or instead of worrying about understanding everything, take time to focus on all that you have understood and congratulate yourself for all that you have done.

Tiny Stories

for Greek Learners

Τα ερείπια της Πομπηίας

Ο ήλιος έδερνε ανελέητα την πόλη της Πομπηίας εδώ και μέρες. Οι κάτοικοι είχαν συνηθίσει τη ζέστη, αλλά ακόμη και αυτοί είχαν **αρχίσει να** αισθάνονται τις συνέπειες του **αδυσώπητου** καύσωνα. Το νερό είχε αρχίσει να λιγοστεύει και τα πνεύματα είχαν αρχίσει να φουντώνουν. Το πρωί της 24ης Αυγούστου, τα πράγματα άλλαξαν προς το χειρότερο. Ένας τεράστιος σεισμός συγκλόνισε την πόλη, ακολουθούμενος από μια έκρηξη του Βεζούβιου που κάλυψε την Πομπηία με πυκνή **ηφαιστειακή** τέφρα. Οι πολίτες πανικοβλήθηκαν καθώς προσπαθούσαν να ξεφύγουν από το θανατηφόρο νέφος. Αλλά ήταν πολύ αργά: μέσα σε λίγες ώρες, η Πομπηία θάφτηκε κάτω από εκατομμύρια τόνους βράχων και τέφρας. Για αιώνες, η Πομπηία **παρέμεινε** κρυμμένη κάτω από τον τάφο της από ηφαιστειακά συντρίμμια. Αλλά το 1748, μια ομάδα εξερευνητών ανακάλυψε ξανά την από καιρό χαμένη πόλη - και αυτό που βρήκαν ήταν τόσο συναρπαστικό όσο και σπαρακτικό. **Κάτω από** τις στάχτες βρισκόταν ένα τέλεια διατηρημένο στιγμιότυπο της ρωμαϊκής ζωής... μαζί με τα πτώματα εκείνων που δεν είχαν διαφύγει εγκαίρως.

The Ruins of Pompeii

The sun had been beating down mercilessly on the city of Pompeii for days. The citizens were used to the heat, but even they were **starting** to feel the effects of the **relentless** heat wave. Water was becoming scarce, and tempers were beginning to flare. On the morning of August 24th, things took a turn for the worse. A massive earthquake shook the city, followed by an eruption from Mount Vesuvius that blanketed Pompeii in thick **volcanic** ash. The citizens panicked as they tried to escape the deadly cloud. But it was too late; within hours, Pompeii was buried beneath millions of tons of rock and ash. For centuries, Pompeii **remained** hidden beneath its tomb of volcanic debris. But in 1748, a group of explorers rediscovered the long-lost city – and what they found was both fascinating and heartbreaking. **Beneath** the ashes lay a perfectly preserved snapshot of Roman life... along with the bodies of those who hadn't escaped in time.

Το πρώτο πράγμα που μου έκανε εντύπωση ήταν η σιωπή. Μετά από αιώνες που ήταν θαμμένη κάτω από τη στάχτη, η Πομπηία ήταν τρομακτικά ήσυχη. Το δεύτερο πράγμα που παρατήρησα ήταν τα πτώματα - **εκατοντάδες** από αυτά, παγωμένα στο χρόνο. Ήταν ένα **απογοητευτικό** θέαμα. Καθώς εξερευνούσαμε περισσότερο, αρχίσαμε να κατανοούμε καλύτερα τι είχε συμβεί εκείνη τη μοιραία ημέρα. Μπορούσαμε να δούμε πού οι άνθρωποι είχαν προσπαθήσει να διαφύγουν, αλλά είχαν καταπλακωθεί από τα ηφαιστειακά συντρίμμια. Σε ορισμένες περιπτώσεις, ολόκληρες οικογένειες είχαν διασωθεί - μητέρα και παιδί στριμωγμένα μαζί στις τελευταίες τους **στιγμές**. Ήταν τόσο τραγικό όσο και **συναρπαστικό** να βλέπουμε την Πομπηία όπως ήταν κάποτε - μια πολυσύχναστη πόλη γεμάτη ζωή, που τώρα έχει μετατραπεί σε μια πόλη-φάντασμα γεμάτη θάνατο.

The first thing that struck me was the silence. After centuries of being buried beneath the ash, Pompeii was eerily quiet. The second thing I noticed were the bodies – **hundreds** of them, frozen in time. It was a **sobering** sight. As we explored further, we began to get a better understanding of what had happened on that fateful day. We could see where people had tried to flee but were overcome by the volcanic debris. In some cases, entire families had been preserved – mother and child huddled together in their final **moments**. It was both tragic and **fascinating** to see Pompeii as it once was – a bustling city full of life, now reduced to a ghost town filled with death.

Παρά την τραγωδία όσων συνέβησαν, η Πομπηία έχει κάτι παράξενα όμορφο. Κατά κάποιον τρόπο, είναι σαν να κοιτάζεις μια χρονοκάψουλα - μια ματιά σε έναν άλλο κόσμο που χάθηκε πριν από πολύ καιρό. Καθώς περπατούσαμε στους δρόμους και βλέπαμε τα **καθημερινά αντικείμενα** που είχαν διατηρηθεί από τη στάχτη, δεν μπορούσα παρά να νιώσω μια αίσθηση θαυμασμού. Ήταν σαν να είχα μεταφερθεί πίσω στο χρόνο. Και κατά κάποιον τρόπο, νομίζω ότι αυτό θα είναι πάντα η Πομπηία - ένα μέρος όπου ο χρόνος σταματάει. Η Πομπηία είναι ένα μέρος που δεν θα ξεχάσω ποτέ. Είναι μια υπενθύμιση της **ευθραυστότητας** της ζωής και του πόσο γρήγορα **όλα** μπορούν να αλλάξουν. Αλλά είναι επίσης μια υπενθύμιση της ανθεκτικότητας του ανθρώπινου πνεύματος. Ακόμα και μπροστά στην καταστροφή, η Πομπηία στέκεται ακόμα όρθια - μια **απόδειξη** για όσους έχασαν τη ζωή τους και ένα σύμβολο ελπίδας για το μέλλον.

Despite the tragedy of what happened, there is something strangely beautiful about Pompeii. In a way, it's like looking at a time capsule – a glimpse into another world that was lost long ago. As we walked through the streets and saw the **everyday objects** that had been preserved by the ash, I couldn't help but feel a sense of wonder. It was as if I had been transported back in time. And in some ways, I think that's what Pompeii will always be – a place where time stands still. Pompeii is a place that I will never forget. It's a reminder of the **fragility** of life and how quickly **everything** can change. But it's also a reminder of the resilience of the human spirit. Even in the face of disaster, Pompeii still stands – a **testament** to those who lost their lives and a symbol of hope for the future.

ερωτήσεις κατανόησης

1.Πόσο καιρό η Πομπηία ήταν θαμμένη κάτω από το σωρό της τέφρας;

2. Πώς έμοιαζε όταν οι άνθρωποι προσπαθούσαν να ξεφύγουν από την ηφαιστειακή τέφρα;

3. Υπήρχαν μέρη όπου οι άνθρωποι μπορούσαν να αναζητήσουν ασφάλεια από τη στάχτη;

4. Γιατί τα σώματα των ανθρώπων που θάφτηκαν στην Πομπηία είναι τόσο καλά διατηρημένα;

5. Τι το ιδιαίτερο έχει η Πομπηία που την κάνει να διαφέρει από άλλες πόλεις;

6. Πώς αντιδρούν συνήθως οι άνθρωποι στη ζέστη στην Πομπηία;

7. Τι έκανε την Πομπηία να ανακαλυφθεί εκ νέου;

8. Πώς ήταν η Πομπηία πριν από την έκρηξη του ηφαιστείου;

9. Τι αισθήματα είχε ο συγγραφέας όταν επισκέφθηκε την Πομπηία;

Comprehension Questions

1.How long was Pompeii buried under the ash pile?

2. What did it look like when people tried to flee from the volcanic ash?

3. Were there places where people could seek safety from the ash?

4. Why are the bodies of the people buried in Pompeii so well preserved?

5. What is special about Pompeii that makes it different from other cities?

6. How do people usually react to the heat in pompeii?

7. What made Pompeii rediscovered?

8. What did Pompeii look like before the eruption of the volcano?

9. What feelings did the author have when he visited pompeii?

Η Αθήνα την Άνοιξη

Το πρώτο πράγμα που παρατηρείτε όταν φτάνετε στην Αθήνα είναι η ζέστη. Σε χτυπάει σαν τοίχος, ακόμη και αν έρχεσαι από κάποιο ζεστό μέρος. Το δεύτερο πράγμα είναι ο θόρυβος - φαίνεται ότι όλοι μιλούν ταυτόχρονα και πάντα παίζει κάπου **μουσική.** Αλλά μετά από λίγες μέρες, αρχίζεις να το συνηθίζεις και αρχίζεις να εκτιμάς την πόλη για τη χαοτική της **ενέργεια**. Η άνοιξη είναι μια από τις καλύτερες εποχές για να βρεθείς στην Αθήνα. Ο καιρός είναι τέλειος - ούτε πολύ ζέστη, ούτε πολύ κρύο - και τα πάντα ζωντανεύουν. Τα δέντρα ανθίζουν, τα λουλούδια έχουν βγει και όπου κι αν κοιτάξεις, υπάρχει κάτι **όμορφο** να δεις. Ακόμα και τα **κτίρια που** είναι καλυμμένα με γκράφιτι έχουν μια κάποια **γοητεία** υπό αυτό το φως. Πάντα κάτι συμβαίνει στην Αθήνα είναι πάντα ζωντανή - είτε πρόκειται για ένα φεστιβάλ δρόμου, είτε για ζωντανή μουσική, είτε απλά για ανθρώπους που κάθονται έξω και απολαμβάνουν έναν καφέ ή μια μπύρα (ή και τα δύο).

Athens in the Spring

The first thing you notice when you arrive in Athens is the heat. It hits you like a wall, even if you're coming from somewhere warm. The second thing is the noise— it seems like everyone is talking at once, and there's always **music** playing somewhere. But after a few days, you start to get used to it and begin to appreciate the city for its chaotic **energy**. Spring is one of the best times to be in Athens. The weather is perfect – not too hot, not too cold – and everything comes to life. The trees are blooming, the flowers are out, and everywhere you look, there's something **beautiful** to see. Even the graffiti-covered **buildings** have a certain **charm** about them in this light. There's always something going on in Athens is always alive—whether it's a street festival, live music, or simply people sitting outside enjoying a coffee or beer (or both).

Υπάρχει ένα αίσθημα χαράς στον αέρα που κάνει ακόμα και τους ξένους να φαίνονται σαν φίλοι. Όλοι φαίνονται ευτυχισμένοι που βρίσκονται εδώ, ζώντας τη ζωή μέσα σε όλη αυτή την ιστορία και τον πολιτισμό. Αν θέλετε να **ζήσετε** πραγματικά την Αθήνα στα καλύτερά της, ελάτε την **άνοιξη -** δεν θα το μετανιώσετε! Ήταν η πρώτη μου φορά στην Αθήνα και γοητεύτηκα αμέσως από την πόλη. Ο καιρός ήταν τέλειος, το φαγητό νόστιμο και πάντα υπήρχε κάτι να κάνει κανείς. Μου άρεσε να **περιπλανιέμαι** άσκοπα, απολαμβάνοντας όλα τα αξιοθέατα και τους ήχους αυτού του ζωντανού τόπου. Ένα απόγευμα, βρέθηκα σε μια περιοχή γεμάτη μικρά καταστήματα που πωλούσαν τα πάντα, από σουβενίρ μέχρι χειροποίητα κοσμήματα. **Σταμάτησα σε** μια μικρή καφετέρια για έναν καφέ και παρακολουθούσα τον κόσμο που περνούσε - ντόπιους και τουρίστες. Φαινόταν να υπάρχει ένα πραγματικό μείγμα πολιτισμών εδώ, και όλοι έδειχναν να τα πάνε τέλεια μαζί. Κάθισα εκεί για ώρες, **παρατηρώντας** τους ανθρώπους και απολαμβάνοντας την ατμόσφαιρα, μέχρι που άρχισε να σκοτεινιάζει. Καθώς επέστρεφα στο ξενοδοχείο μου, ένιωθα πραγματικά ευτυχισμένη - σαν να ανήκα εδώ.

There's a feeling of joy in the air that makes even strangers seem like friends. Everyone seems happy just to be here, living life amidst all this history and culture. If you want to really **experience** Athens at its best, come during **springtime**—you won't regret it! It was my first time in Athens, and I was instantly charmed by the city. The weather was perfect, the food was delicious, and there was always something to do. I loved **wandering** around aimlessly, taking in all the sights and sounds of this vibrant place. One afternoon, I found myself in an area full of small shops selling everything from souvenirs to handmade jewelry. I **stopped** at a little cafe for a coffee and watched as people bustled by – locals and tourists alike. There seemed to be a real mix of cultures here, and everyone seemed to get along perfectly well. I sat there for hours just **watching** people and **soaking** up the atmosphere until it started to get dark. As I made my way back to my hotel, I felt truly happy – like this is where I belonged.

Η Ελλάδα ήταν πάντα ένα από εκείνα τα μέρη που ήταν στη λίστα μου, αλλά για τον ένα ή τον άλλο λόγο, ποτέ δεν κατάφερα να την επισκεφτώ - μέχρι τώρα. Και επιτρέψτε μου να σας πω, δεν **με απογοήτευσε**! Η Αθήνα είναι μια απίστευτη πόλη με τόση **ιστορία** και πολιτισμό (για να μην αναφέρω το υπέροχο φαγητό!) Είναι αδύνατο να μην την ερωτευτείς αμέσως με την άφιξή σου. Ήθελα να επισκεφτώ την Αθήνα εδώ και χρόνια, αλλά με κάποιο τρόπο πάντα κατέληγα να πηγαίνω κάπου αλλού. Αλλά τελικά, πέρυσι, έκανα το ταξίδι και ήταν όλα όσα ήλπιζα και ακόμα περισσότερα. Η πόλη είναι γεμάτη ζωή - πάντα κάτι συμβαίνει, όποια ώρα της ημέρας ή της νύχτας κι αν είναι. Και οι άνθρωποι! Όλοι φαίνονται τόσο φιλικοί και **φιλόξενοι**, ακόμη και αν δεν μιλάς ελληνικά. Αν θέλετε να ζήσετε την αληθινή μεσογειακή φιλοξενία, τότε η Αθήνα είναι το μέρος που πρέπει να πάτε. Από τη **στιγμή που** φτάνεις μέχρι τη στιγμή που φεύγεις (απρόθυμα), νιώθεις σαν μέλος της οικογένειας. Ανυπομονώ να επιστρέψω - ίσως την επόμενη άνοιξη!

Greece has always been one of those places that's been on my bucket list, but for some reason or other, I never got around to visiting – until now. And let me tell you, it did not **disappoint**! Athens is an incredible city with so much **history** and culture (not to mention great food!) It's impossible to not fall in love with it immediately upon arrival. I'd been meaning to visit Athens for years but somehow always ended up going somewhere else. But finally, last year, I made the trip, and it was everything I'd hoped for and more. The city is full of life—there's always something going on, no matter what time of day or night it is. And the people! Everyone seems so friendly and **welcoming**, even if you don't speak Greek. If you want to experience true Mediterranean hospitality, then Athens is the place to go. From the **moment** you arrive until the moment you leave (reluctantly), you feel like part of the family. I can't wait to go back—maybe next spring!

ερωτήσεις κατανόησης

1. Ποια είναι τα δύο πρώτα πράγματα που παρατηρείτε όταν φτάνετε στην Αθήνα;

2. Πώς σας κάνει να αισθάνεστε η πόλη;

3. Ποιο είναι το αγαπημένο σας πράγμα στην Αθήνα;

4. Τι μπορείτε να κάνετε στην Αθήνα;

5. Πώς είναι ο καιρός στην Αθήνα;

6. Ποια είναι η ιστορία της Αθήνας;

7. Ποια είναι η κουλτούρα της Αθήνας;

8. Πώς είναι το φαγητό στην Αθήνα;

9. Πώς είναι οι άνθρωποι στην Αθήνα;

10. Γιατί κάποιος πρέπει να επισκεφθεί την Αθήνα;

Comprehension Questions

1. What are the first two things you notice when you arrive in Athens?

2. How does the city make you feel?

3. What is your favorite thing about Athens?

4. What is there to do in Athens?

5. What is the weather like in Athens?

6. What is the history of Athens?

7. What is the culture of Athens?

8. What is the food like in Athens?

9. What are the people like in Athens?

10. Why should someone visit Athens?

Μια μέρα στη Μύκονο

Ο ήλιος μόλις ξεπρόβαλλε από τον ορίζοντα όταν βγήκα στο μπαλκόνι της βίλας μου. Η θέα έκοβε την ανάσα, όπως πάντα στη Μύκονο. Ο αστραφτερός ωκεανός, οι **παραλίες** με τη λευκή άμμο και τα πολύχρωμα σπίτια που ήταν διάσπαρτα στο τοπίο, όλα μαζί δημιουργούσαν ένα σκηνικό που έμοιαζε σαν να ήταν βγαλμένο από καρτ ποστάλ. Πήρα μια βαθιά ανάσα και εισέπνευσα τον καθαρό αέρα της θάλασσας. Θα ήταν άλλη μια **όμορφη** μέρα στον παράδεισο. Γύρισα μέσα και ντύθηκα για το πρωινό. Είχα κάνει κράτηση σε ένα από τα πιο δημοφιλή εστιατόρια του νησιού, γι' αυτό ήθελα να δείχνω τον καλύτερό μου εαυτό. Όταν έφτασα, υπήρχε ήδη μια μεγάλη ουρά απ' έξω που περίμενε να μπει. Αλλά ευτυχώς, η **κράτησή** μου σήμαινε ότι μπορούσα να παρακάμψω όλα αυτά και να πάω κατευθείαν στο τραπέζι μου. Μόλις κάθισα, οι **σερβιτόροι** άρχισαν να φέρνουν πιατέλες με φαγητό - αυγά μαγειρεμένα με κάθε τρόπο που μπορεί να φανταστεί κανείς, μπέικον, λουκάνικα, τηγανίτες **που έσταζαν** σιρόπι και πολλά άλλα! Το στόμα μου άρχισε να τρέχει και μόνο που τα έβλεπα όλα αυτά! Και φυσικά, κανένα γεύμα στην Ελλάδα δεν θα ήταν πλήρες χωρίς φέτα και **ελιές** στο πλάι.

A Day on Mykonos

The sun was just peeking over the horizon as I stepped out onto the balcony of my villa. The view was breathtaking, as it always is in Mykonos. The sparkling ocean, the white sand **beaches**, and the colorful houses dotting the landscape all came together to create a scene that looked like something out of a postcard. I took a deep breath and inhaled the fresh sea air. It was going to be another **beautiful** day in paradise. I went back inside and got dressed for breakfast. I had made reservations at one of the most popular restaurants on the island, so I wanted to look my best. When I arrived, there was already a long line outside waiting to get in. But luckily, my **reservation** meant that I could bypass all of that and go straight to my table. As soon as I sat down, **waiters** began bringing out platters of food-eggs cooked every which way imaginable, bacon, sausage, pancakes **dripping** with syrup, and more! My mouth started watering just looking at it all! And of course, no meal in Greece would be complete without some feta cheese and **olives** on the side.

Έφαγα μέχρι να χορτάσω, και μετά έγειρα στην καρέκλα μου με έναν ικανοποιημένο αναστεναγμό. Εκείνη τη στιγμή, **παρατήρησα** κάποιον που περνούσε και μου φαινόταν γνωστός. Μου πήρε μια στιγμή να τους εντοπίσω, αλλά μετά θυμήθηκα ότι ήταν ηθοποιοί από το Χόλιγουντ. Μου έγνεψε ευγενικά καθώς περνούσε, και έκανα το ίδιο πριν γυρίσω πίσω για να απολαύσω το υπόλοιπο γεύμα μου. Μετά το πρωινό, αποφάσισα να περιπλανηθώ **στην** πόλη και να κάνω μερικά ψώνια. Οι δρόμοι ήταν ήδη γεμάτοι από κόσμο, τόσο ντόπιους όσο και τουρίστες. Τα καταστήματα εδώ είναι τόσο μοναδικά, και πάντα υπάρχει κάτι καινούργιο να ανακαλύψεις. Πρέπει να **πέρασα** ώρες περιηγούμενη σε όλα τα διαφορετικά καταστήματα προτού τελικά επιστρέψω στη βίλα μου. Καθώς περπατούσα, δεν μπορούσα παρά να παρατηρήσω πόσοι όμορφοι άνθρωποι υπήρχαν στη Μύκονο. Φαίνεται ότι όπου κι αν γυρίσεις, υπάρχει **κάποιος** που μοιάζει σαν να βγήκε από διαφήμιση περιοδικού. Ακόμα και οι ηλικιωμένοι εδώ φαίνεται να έχουν γεράσει με χάρη, χωρίς ούτε μια **ρυτίδα**! Είχα αρχίσει να πεινάω και πάλι λίγο, οπότε αποφάσισα να σταματήσω σε ένα από τα καφέ για μια γρήγορη μπουκιά πριν πάω σπίτι για φαγητό. Καθώς περίμενα την παραγγελία μου, παρακολουθούσα τον κόσμο από τη θέση μου έξω. Υπήρχε ένα ενδιαφέρον μείγμα ανθρώπων που περνούσαν από εκεί - νεαροί χίπηδες, **πλούσιοι** κοσμικοί, οικογένειες σε διακοπές κ.λπ. Είναι πραγματικά ένα χωνευτήρι εδώ σε αυτό το

I ate until I was absolutely stuffed, then leaned back in my chair with a satisfied sigh. Just then, I **noticed** somebody walking by who looked familiar. It took me a moment to place them, but then I remembered they were actors from Hollywood. He nodded politely as he passed by, and I did likewise before turning back to enjoy the rest of my meal. After breakfast, I decided to wander **around** town and do some shopping. The streets were already crowded with people, both locals and tourists alike. The shops here are so unique, and there's always something new to discover. I must have **spent** hours browsing through all the different stores before finally making my way back to my villa. As I walked, I couldn't help but notice how many beautiful people there were in Mykonos. It seems like everywhere you turn, there's **somebody** who looks like they just stepped out of a magazine ad. Even the older folks here seem to have aged gracefully without a **wrinkle** in sight! I was starting to get a little bit hungry again, so I decided to stop at one of the cafes for a quick bite before heading home for lunch. As I waited for my order, I people watched from my seat outside. There was an interesting mix of people passing by- young hippies, **wealthy** socialites, families on vacation, etc. It really is a melting pot here on this island paradise.

παραδεισένιο νησί.

Τελικά, έφτασε το φαγητό μου και έφαγα με ευχαρίστηση. Μια νόστιμη σπανακόπιτα τυλιγμένη σε **αφράτη** ζύμη φύλλου, συνοδευόμενη από ένα δροσιστικά κρύο ποτήρι λεμονάδα. Το τέλειο μεσημεριανό σνακ! Μετά το μεσημεριανό γεύμα, αποφάσισα να πάω για **κολύμπι**. Φόρεσα το μαγιό μου, πήρα μια πετσέτα και κατέβηκα στην παραλία. Η άμμος ήταν καυτή κάτω από τα πόδια μου καθώς περπατούσα, αλλά δροσίστηκε γρήγορα μόλις **έφτασα στην** άκρη του νερού. Ο ωκεανός εδώ είναι τόσο διαφορετικός από οποιοδήποτε άλλο μέρος έχω πάει ποτέ - τα νερά είναι **κρυστάλλινα** και υπάρχουν τόσα πολλά πολύχρωμα ψάρια **που κολυμπούν** γύρω του. Είναι σαν να βρίσκεσαι σε ενυδρείο! Κολύμπησα μέχρι το σημείο όπου χτυπούσαν τα κύματα, και μετά **επέπλεα ανάσκελα** και παρακολουθούσα τους γλάρους να πετούν από πάνω μου. Μετά από λίγο, άρχισα να νυστάζω, οπότε βγήκα από το νερό και ξάπλωσα στην **πετσέτα μου** στον ήλιο.

Finally, my food arrived, and I dug in with gusto. A delicious spinach pie wrapped in **flaky** phyllo dough, accompanied by a refreshingly cold glass of lemonade. The perfect mid-day snack! After lunch, I decided to go for a **swim**. I put on my bathing suit and grabbed a towel, then made my way down to the beach. The sand was hot beneath my feet as I walked, but it quickly cooled once I **reached** the water's edge. The ocean here is so different from any other place I've ever been—the water is **crystal** clear and there are so many colorful fish **swimming** around. It's like being in an aquarium! I swam out to where the waves were crashing, then **floated** on my back and watched as seagulls flew overhead. After awhile, I started to feel sleepy, so I got out of the water and lay down on my **towel** in the sun.

ερωτήσεις κατανόησης

1. Πού βρίσκεται ο αφηγητής όταν βγαίνει για πρώτη φορά από τη βίλα του;

2. Ποια χρώματα είναι εμφανή στη θέα από τη βίλα του αφηγητή;

3. Τι κάνει ο αφηγητής μετά το πρωινό;

4. Τι είδους ανθρώπους βλέπει ο αφηγητής την ώρα που παρακολουθεί τον κόσμο;

5. Τι είδους φαγητό τρώει ο αφηγητής για μεσημεριανό γεύμα;

6. Πώς αισθάνεται ο αφηγητής μετά το γεύμα;

7. Τι κάνει ο αφηγητής όταν φτάνουν στην παραλία;

8. Πώς είναι ο ωκεανός όπου κολυμπάει ο αφηγητής;

9. Τι είδους πουλιά βλέπει ο αφηγητής ενώ κολυμπούν;

Comprehension Questions

1. Where is the narrator when they first step out of their villa?

2. What colors are prominent in the view from the narrator's villa?

3. What does the narrator do after breakfast?

4. What kind of people does the narrator see while they are people watching?

5. What kind of food does the narrator have for lunch?

6. How does the narrator feel after lunch?

7. What does the narrator do when they get to the beach?

8. What is the ocean like where the narrator is swimming?

9. What kind of birds does the narrator see while they are swimming?

Ηλιοβασιλέματα της Σαντορίνης

Ο ήλιος έδυε στον ορίζοντα, βάφοντας τον ουρανό σε ένα φάσμα πορτοκαλί, ροζ και μοβ χρωμάτων. Τα κύματα **χτυπούσαν στα** βράχια, στέλνοντας έναν ψεκασμό αλμυρού νερού. Τα ηλιοβασιλέματα της Σαντορίνης ήταν από τα πιο όμορφα στον πλανήτη, και είχα την τύχη να τα παρακολουθήσω. Κατέβηκα στην παραλία, θαυμάζοντας τον τρόπο με τον οποίο το φως χόρευε πάνω στο νερό. Έμοιαζε σαν να είχαν διασκορπιστεί εκατομμύρια **διαμάντια στην** επιφάνειά του. Κάθισα στην άμμο και παρακολούθησα τον ήλιο να **χάνεται** αργά πίσω από τον ορίζοντα, αφήνοντας πίσω του ένα ίχνος από φλογερά κόκκινα και πορτοκαλί χρώματα. Καθώς άρχισε να πέφτει η νύχτα, σηκώθηκα και επέστρεψα στο δωμάτιο του ξενοδοχείου μου. Αύριο θα ήταν μια άλλη μέρα γεμάτη περιπέτεια - αλλά προς το παρόν, ήθελα να απολαύσω αυτό το **σπουδαίο** ηλιοβασίλεμα. Ξύπνησα νωρίς το επόμενο πρωί, ανυπόμονος να εξερευνήσω τα ηλιοβασιλέματα της Σαντορίνης. Είχα ακούσει τόσα πολλά γι' αυτό και επιτέλους ήμουν εδώ. Μετά το **πρωινό**, κατέβηκα ξανά στην παραλία και άρχισα να εξερευνώ τα βράχια. Η θέα από εδώ πάνω ήταν ακόμη πιο μαγευτική από ό,τι από κάτω.

Santorini Sunsets

The sun was setting over the horizon, painting the sky in a spectrum of oranges, pinks, and purples. The waves were crashing **against** the cliffs, sending up a spray of salty water. Santorini sunsets were among the most beautiful on the planet, and I was fortunate enough to witness them. I walked down to the beach, admiring the way that the light danced off of the water. It looked like a million **diamonds** had been scattered across its surface. I sat down on the sand and watched as the sun slowly **disappeared** behind the horizon, leaving behind a trail of fiery reds and oranges. As night began to fall, I got up and made my way back to my hotel room. Tomorrow would be another day full of adventure – but for now, I wanted to enjoy this **momentous** sunset. I woke up early the next morning, eager to explore Santorini Sunsets. I had heard so much about it and I was finally here. After **breakfast**, I walked down to the beach again and started exploring the cliffs. The view from up here was even more breathtaking than from below.

Πέρασα ώρες περπατώντας, απολαμβάνοντας τα αξιοθέατα και τους ήχους αυτού του μαγικού τόπου. Καθώς η μέρα άρχισε να τελειώνει, επέστρεψα στην **παραλία για** μια τελευταία φορά. Ήθελα να παρακολουθήσω το **ηλιοβασίλεμα** άλλη μια φορά πριν αφήσω πίσω μου αυτόν τον παράδεισο. Για άλλη μια φορά, κάθισα στην άμμο και παρακολούθησα τη νύχτα να πέφτει αργά πάνω από τα ηλιοβασιλέματα της Σαντορίνης. Τα αστέρια είχαν βγει σε πλήρη ισχύ απόψε, λαμπυρίζοντας έντονα στο φόντο ενός καθαρού ουρανού. Ήταν πραγματικά ένα αξιοθέατο που δεν θα ξεχάσω ποτέ. " Το επόμενο πρωί, μάζεψα τις βαλίτσες μου και έφυγα από το δωμάτιο του ξενοδοχείου μου. Ήταν καιρός να επιστρέψω στο σπίτι μου - αλλά ήξερα ότι θα επέστρεφα. Τα ηλιοβασιλέματα της Σαντορίνης είχαν κλέψει την καρδιά μου και ήξερα ότι θα **ονειρευόμουν** αυτό το μέρος για τα επόμενα χρόνια. Καθώς το αεροπλάνο απογειωνόταν, παρακολουθούσα το νησί να χάνεται αργά στο βάθος. Αλλά ακόμη και από εδώ ψηλά, μπορούσα να δω την ομορφιά των ηλιοβασιλέματος της Σαντορίνης. Ήταν ένα **μέρος** που θα είχε πάντα μια ξεχωριστή θέση στην καρδιά μου. "

I spent hours walking around, taking in the sights and sounds of this magical place. As the day began to wind down, I made my way back to the **beach** one last time. I wanted to watch the **sunset** one more time before leaving this paradise behind. Once again, I sat on the sand and watched as night slowly fell over Santorini Sunsets. The stars were out in full force tonight, twinkling brightly against the backdrop of a clear sky. It was truly a sight to behold—one that I would never forget. " The next morning, I packed my bags and checked out of my hotel room. It was time to head back home – but I knew that I would be back. Santorini sunsets had stolen my heart and I knew that I would be **dreaming** of this place for years to come. As the plane took off, I watched as the island slowly disappeared into the distance. But even from up here, I could still see the beauty of Santorini sunsets. It was a **place** that would always have a special place in my heart. "

Χρόνια αργότερα, επέστρεψα στο Santorini Sunsets με τη δική μου οικογένεια. Καθώς κατεβαίναμε στην παραλία, μπορούσα ακόμα να δω την ίδια ομορφιά που με είχε γοητεύσει όλα αυτά τα χρόνια πριν. Ο ήλιος έδυε στον ορίζοντα, **βάφοντας** τον ουρανό σε ένα φάσμα πορτοκαλί, ροζ και **μοβ χρωμάτων**. Καθώς παρακολουθούσαμε μαζί το ηλιοβασίλεμα, ήξερα ότι αυτό ήταν ένα μέρος που θα κρατούσε πάντα μια ξεχωριστή θέση στην καρδιά μας. " Έχουν περάσει μερικά χρόνια από τότε που επισκεφτήκαμε για πρώτη φορά το Santorini Sunsets, αλλά οι **αναμνήσεις** είναι ακόμα τόσο ζωντανές όσο ποτέ. Τα **χρώματα** του ηλιοβασιλέματος, ο ήχος των κυμάτων που σκάνε στην ακτή... είναι όλα τόσο μαγικά. Είμαι τόσο χαρούμενη που αποφασίσαμε να επιστρέψουμε και να το ζήσουμε ξανά μαζί. " Κάθε φορά που βλέπω ένα ηλιοβασίλεμα, δεν μπορώ παρά να σκέφτομαι εκείνη την ξεχωριστή μέρα στη Σαντορίνη. Ήταν μια τόσο τέλεια στιγμή, που θα τη **θυμόμαστε** πάντα.

Years later, I returned to Santorini Sunsets with my own family. As we walked down to the beach, I could still see the same beauty that had captivated me all those years ago. The sun was setting over the horizon, **painting** the sky in a spectrum of oranges, pinks, and **purples**. As we watched the sunset together, I knew that this was a place that would always hold a special place in our hearts. " It's been a few years since we first visited Santorini Sunsets, but the **memories** are still as vivid as ever. The **colors** of the sunset, the sound of the waves crashing against the shore... it's all so magical. I'm so glad we decided to come back and experience it again together. " Every time I see a sunset, I can't help but think of that special day in Santorini. It was such a perfect moment, one that we'll always **remember**.

ερωτήσεις κατανόησης

1. Ποια χρώματα υπήρχαν στον ουρανό κατά τη διάρκεια του ηλιοβασιλέματος;

2. Με τι συγκρίνει ο συγγραφέας τα κύματα;

3. Τι λέει ο συγγραφέας για τα ηλιοβασιλέματα της Σαντορίνης;

4. Από πού παρακολούθησε ο συγγραφέας το ηλιοβασίλεμα;

5. Τι ώρα της ημέρας ο συγγραφέας παρακολούθησε το ηλιοβασίλεμα;

6. Τι έκανε ο συγγραφέας αφού παρακολούθησε το ηλιοβασίλεμα;

7. Τι έκανε ο συγγραφέας την επόμενη μέρα;

8. Τι πιστεύει ο συγγραφέας για τα ηλιοβασιλέματα της Σαντορίνης;

Comprehension Questions

1. What colors were in the sky during the sunset?

2. What does the author compare the waves to?

3. What does the author say about Santorini sunsets?

4. Where did the author watch the sunset from?

5. What time of day did the author watch the sunset?

6. What did the author do after watching the sunset?

7. What did the author do the next day?

8. What did the author think about Santorini sunsets?

Ο Παρθενώνας τη νύχτα

Ο Παρθενώνας τη νύχτα είναι ένα αξιοθέατο. Ο αρχαίος ελληνικός ναός **φωτίζεται από το** φως της πανσελήνου και ρίχνει μια απόκοσμη λάμψη πάνω από τα ερείπια. Είναι σαν να έχει σταματήσει ο χρόνος και μπορείτε σχεδόν να φανταστείτε τα φαντάσματα των αρχαίων Ελλήνων να περπατούν ανάμεσα στους κίονες. Πλησιάζετε το ναό **προσεκτικά**, μισοπεριμένοντας ότι κάτι θα σας πεταχτεί από τις **σκιές**. Αλλά όλα είναι ήσυχα, εκτός από τον ήχο των δικών σας βημάτων που αντηχούν στο πέτρινο δάπεδο. Καθώς εισέρχεστε στην κύρια αίθουσα, εντυπωσιάζεστε από το μέγεθος και το μεγαλείο της. Δεν μπορείτε παρά να νιώσετε ένα αίσθημα ευλάβειας γι' αυτό το μέρος, παρά την τρέχουσα κατάσταση **αποσύνθεσής του**. Περιπλανιέστε για λίγο, απολαμβάνοντας όλες τις **λεπτομέρειες** αυτού του απίστευτου οικοδομήματος. Τελικά, επιστρέφετε έξω και κάθεστε σε ένα από τα σκαλοπάτια για να απολαύσετε τη θέα για λίγο **ακόμα** πριν επιστρέψετε στο σπίτι σας. "

The Parthenon at Night

The Parthenon at night is a sight to behold. The ancient Greek temple is **illuminated** by the light of the full moon, and it casts an eerie glow over the ruins. It's as if time has stood still and you can almost imagine the ghosts of ancient Greeks walking among the columns. You approach the temple **cautiously**, half expecting something to jump out at you from the **shadows**. But all is quiet except for the sound of your own footsteps echoing on the stone floor. As you enter into the main chamber, you're awestruck by its size and grandeur. You can't help but feel a sense of reverence for this place, despite its current state of **disrepair**. You wander around for awhile, taking in all the **details** of this incredible structure. Eventually, you make your way back outside and sit down on one of the steps to enjoy the view for a little while **longer** before heading back home. "

Καθώς κάθεστε εκεί και κοιτάτε τον Παρθενώνα, δεν μπορείτε παρά να **αναρωτηθείτε** πώς πρέπει να ήταν στην ακμή του. Τι είδους γεγονότα λάμβαναν χώρα εδώ; Ποιοι ήταν οι άνθρωποι που λάτρευαν σε αυτόν τον ναό; Σηκώνεστε και περπατάτε προς την άλλη πλευρά του **κτιρίου**, όπου βλέπετε μια μικρή πόρτα **που οδηγεί** σε έναν από τους θαλάμους. Διστάζετε για μια στιγμή, χωρίς να είστε σίγουροι αν πρέπει να μπείτε μέσα. Αλλά στη συνέχεια η περιέργεια σε κυριεύει και μπαίνεις μέσα στο σκοτάδι. Μόλις τα μάτια σας προσαρμοστούν στην έλλειψη φωτός, αρχίζετε να διακρίνετε κάποια αμυδρά σημάδια στους τοίχους. Καθώς πλησιάζετε, συνειδητοποιείτε ότι βλέπετε αρχαία ελληνικά **γραπτά**! Δεν μπορείτε να πιστέψετε ότι **στέκεστε** μπροστά σε ένα πραγματικό ιστορικό τεχνούργημα. Περνάτε τις επόμενες ώρες εξερευνώντας τους υπόλοιπους θαλάμους, θαυμάζοντας όλες τις αρχαίες γραφές και τα γλυπτά. Είναι σαν να έχετε **μεταφερθεί** πίσω στο χρόνο!

As you sit there looking at the Parthenon, you can't help but **wonder** what it must have been like in its heyday. What kind of events took place here? Who were the people that worshipped in this temple? You stand up and walk around to the other side of the **building**, where you see a small door **leading** into one of the chambers. You hesitate for a moment, unsure if you should go inside. But then curiosity gets the better of you and you step through into darkness. Once your eyes adjust to the lack of light, you start to make out some faint markings on the walls. As you get closer, you realize you're looking at ancient Greek **writings**! You can't believe that you're **standing** in front of an actual historical artifact. You spend the next few hours exploring the rest of the chambers, marveling at all the ancient writings and carvings. It's like you've been **transported** back in time!

Καθώς ο ήλιος αρχίζει να ανατέλλει, ξέρετε ότι ήρθε η ώρα να φύγετε. Αλλά δεν μπορείς να μην αισθανθείς μια μικρή θλίψη καθώς φεύγεις από αυτό το μέρος. **Υπόσχεσαι** στον εαυτό σου ότι θα επιστρέψεις και θα εξερευνήσεις περισσότερο κάποια άλλη μέρα. Καθώς απομακρύνεστε από τον **Παρθενώνα,** δεν μπορείτε παρά να νιώσετε μια αίσθηση θαυμασμού για όλα όσα είδατε. Είναι σαν αυτό το μέρος να έχει **παγώσει** στο χρόνο και νιώθετε τυχεροί που το ζήσατε από πρώτο χέρι. Δεν θα ξεχάσετε ποτέ την αίσθηση του να στέκεστε μέσα σε αυτούς τους αρχαίους θαλάμους, περιτριγυρισμένοι από την ιστορία. Ο Παρθενώνας είναι πραγματικά ένα **μαγικό** μέρος και ανυπομονείτε να επιστρέψετε και να τον εξερευνήσετε περισσότερο. " Ο Παρθενώνας είναι ένα μέρος που θα σας μείνει για πάντα. Είναι μια υπενθύμιση της απίστευτης ιστορίας αυτού του κόσμου και της ανθρώπινης ικανότητας για **μεγαλείο**. Κάθε φορά που τον κοιτάζετε, θα σας γεμίζει με μια αίσθηση θαυμασμού και δέους.

As the sun starts to rise, you know that it's time to go. But you can't help but feel a little sad as you leave this place. You **promise** yourself that you'll come back and explore some more another day. As you walk away from the **Parthenon**, you can't help but feel a sense of wonder at all that you've seen. It's like this place has been **frozen** in time, and you feel lucky to have experienced it firsthand. You'll never forget the feeling of standing inside those ancient chambers, surrounded by history. The Parthenon is truly a **magical** place, and you can't wait to come back and explore it some more. " The Parthenon is a place that will stay with you forever. It's a reminder of the incredible history of this world and of the human capacity for **greatness**. Every time you look at it, you'll be filled with a sense of wonder and awe.

ερωτήσεις κατανόησης

1. Πώς είναι ο Παρθενώνας τη νύχτα;

2. Από τι είναι φτιαγμένος ο Παρθενώνας;

3. Πόσο παλιός είναι ο Παρθενώνας;

4. Για ποιο σκοπό χρησιμοποιούνταν ο Παρθενώνας στην αρχαιότητα;

5. Ποιος έχτισε τον Παρθενώνα;

6. Πόσες στήλες υπάρχουν στον Παρθενώνα;

7. Ποια είναι η σημασία του Παρθενώνα;

8. Τι αντιπροσωπεύει ο Παρθενώνας για τους Έλληνες;

9. Πώς διατηρήθηκε ο Παρθενώνας με την πάροδο των χρόνων;

10. Ποιο είναι το μέλλον του Παρθενώνα;

Comprehension Questions

1. What does the Parthenon look like at night?

2. What is the Parthenon made of?

3. How old is the Parthenon?

4. What was the Parthenon used for in ancient times?

5. Who built the Parthenon?

6. How many columns are there in the Parthenon?

7. What is the significance of the Parthenon?

8. What does the Parthenon represent for the people of Greece?

9. How has the Parthenon been preserved over the years?

10. What is the future of the Parthenon?

Δρόμοι της Ρόδου

Οι δρόμοι της Ρόδου είναι πάντα πολυσύχναστοι.
Δεν υπάρχει στιγμή που να μην συμβαίνει κάτι. **Είτε**
πρόκειται για ανθρώπους που περπατούν, είτε για
αυτοκίνητα που κορνάρουν, είτε για τον **ήχο** της
μουσικής που ακούγεται από ένα από τα πολλά καφέ,
οι δρόμοι είναι πάντα ζωντανοί από δραστηριότητα.
Θυμάμαι μια φορά που περπατούσα στο δρόμο και
είδα μια γυναίκα που έμοιαζε σαν να ήταν έτοιμη
να λιποθυμήσει. Έτρεξα προς το μέρος της και τη
βοήθησα σε ένα παγκάκι όπου μπορούσε να καθίσει.
Τη ρώτησα αν ήταν καλά και μου είπε ότι **ήθελε**
μόνο λίγο νερό. Ποτέ δεν ξέρεις τι θα δεις ή ποιον
θα συναντήσεις. Αυτό είναι ένα μέρος αυτού που το
κάνει τόσο **συναρπαστικό!** Καθώς περπατούσα στο
δρόμο, δεν μπορούσα παρά να παρατηρήσω όλους
τους ανθρώπους. Υπήρχαν τόσοι πολλοί **διαφορετικοί
τύποι ανθρώπων**, από όλα τα κοινωνικά στρώματα.
Ήταν εκπληκτικό να βλέπεις μια τόσο διαφορετική
ομάδα ανθρώπων σε ένα μέρος.

Streets of Rhodes

The streets of Rhodes are always busy. There is never a moment when there isn't something going on. **Whether** it's people walking by, cars honking, or the **sound** of music coming from one of the many cafes, the streets are always alive with activity. I **remember** one time I was walking down the street and I saw a woman who looked like she was about to faint. I rushed over to her and helped her to a bench where she could sit down. I asked if she was okay, and she said that she just **needed** some water. You never know what you're going to see or who you're going to meet. That's part of what makes it so **exciting**! As I walked down the street, I couldn't help but notice all of the people. There were so many **different** types of people, from all walks of life. It was amazing to see such a diverse group of people in one place.

Ξαφνικά, άκουσα κάποιον **να φωνάζει** το όνομά μου. **Γύρισα** και είδα τον φίλο μου να με χαιρετάει από την απέναντι πλευρά του δρόμου. Είχαμε κανονίσει να συναντηθούμε και να φάμε μαζί. Καθώς διέσχιζα τον πολυσύχναστο δρόμο, δεν μπορούσα παρά να αναρωτηθώ τι άλλες **περιπέτειες** θα μου επιφύλασσε η μέρα. **Αποφασίσαμε** να σταματήσουμε σε μια καφετέρια για μεσημεριανό γεύμα, και καθώς περιμέναμε το φαγητό μας, είδαμε μια γυναίκα που έμοιαζε σαν να ήταν έτοιμη να λιποθυμήσει. Τρέξαμε προς το μέρος της και τη βοηθήσαμε σε ένα παγκάκι όπου μπορούσε να καθίσει. Τη ρωτήσαμε αν ήταν καλά και μας είπε ότι **ήθελε** μόνο λίγο νερό. Πήγαμε να της φέρουμε λίγο νερό από μια κοντινή καφετέρια, και όταν επιστρέψαμε, είχε φύγει. Μόνο αργότερα συνειδητοποιήσαμε ότι την είχαν κλέψει από πορτοφόλι όσο εμείς λείπαμε. Μετά το γεύμα, αποφασίσαμε να περπατήσουμε για λίγο στο κέντρο της πόλης. Καθώς **περπατούσαμε**, ο φίλος μου μας έδειξε όλα τα διαφορετικά είδη καταστημάτων που υπήρχαν. Υπήρχαν τόσα πολλά διαφορετικά είδη καταστημάτων! Από καταστήματα με ρούχα μέχρι καταστήματα με **σουβενίρ, υπήρχε** κάτι για **όλους στο** κέντρο της πόλης. Τελικά, επιστρέψαμε προς τους δρόμους όπου γινόταν όλη η δραστηριότητα. Όπως πάντα, δεν υπήρχε στιγμή που να μην συμβαίνει κάτι!

Suddenly, I heard someone **shouting** my name. I turned **around** and saw my friend waving at me from across the street. We had made plans to meet up and grab lunch together. As I crossed the busy street, I couldn't help but wonder what other **adventures** the day would hold in store for me. We **decided** to stop at a cafe for lunch, and as we were waiting for our food, we saw a woman who looked like she was about to faint. We rushed over to her and helped her to a bench where she could sit down. We asked if she was okay, and she said that she just **needed** some water. We went to get her some water from a nearby cafe, and when we came back, she was gone. It wasn't until later that we realized that she had been pickpocketed while we were gone. After lunch, we decided to walk around the city center for awhile. As we **walked**, my friend pointed out all of the different types of shops there were. There were so many different kinds of stores! From clothes shops to **souvenir** shops, there was something for **everyone** in the city center. Eventually, we made our way back towards the streets where all of the activity was taking place. As always, there was never a moment when there wasn't something going on!

Καθώς περπατούσαμε στο δρόμο, ο φίλος μου και εγώ δεν μπορούσαμε να μην παρατηρήσουμε όλους τους **ζητιάνους**. Ήταν λυπηρό να βλέπουμε πόσοι άνθρωποι **αγωνίζονταν** για να τα βγάλουν πέρα. Αποφασίσαμε να σταματήσουμε και να μιλήσουμε σε έναν από αυτούς. Μας είπε ότι το όνομά του ήταν Αχμέντ και ότι ζητιανεύει χρήματα στους δρόμους εδώ και χρόνια. Είπε ότι ήταν δύσκολο να βγάλει αρκετά χρήματα για να **συντηρήσει** τον εαυτό του, αλλά ότι δεν είχε άλλη επιλογή. Ο φίλος μου και εγώ συγκινηθήκαμε από την ιστορία του και αποφασίσαμε να του δώσουμε μερικά χρήματα. Καθώς φεύγαμε, η φίλη μου είπε ότι θα ήθελε να μπορούσε να κάνει περισσότερα για να βοηθήσει ανθρώπους σαν τον Αχμέντ. Τότε ήταν που μου ήρθε μια ιδέα. Της μίλησα για ένα έργο που δούλευα εδώ και λίγο καιρό. Ονομάζεται "The Street Project" και είναι ένας τρόπος για τους ανθρώπους που θέλουν να βοηθήσουν όσους έχουν ανάγκη αλλά δεν ξέρουν πώς ή από πού να ξεκινήσουν. Το πρότζεκτ είναι απλό: κάθε μέρα, βγαίνουμε στο **κέντρο της πόλης** και μοιράζουμε τρόφιμα ή ρούχα (ό,τι **χρειάζεται**) σε όποιον το θέλει ή το χρειάζεται.

As we walked down the street, my friend and I couldn't help but notice all of the **beggars**. It was sad to see how many people were **struggling** just to get by. We decided to stop and talk to one of them. He told us his name was Ahmed and that he had been begging for money on the streets for years. He said that it was hard to make enough money to **support** himself but that he didn't have any other choice. My friend and I were both moved by his story, and we decided to give him some money. As we walked away, my friend said that she wished there was more she could do to help people like Ahmed. That's when I had an idea. I told her about a project I had been working on for awhile now. It's called "The Street Project" and it's a way for people who want to help those in need but don't know how or where to start. The project is simple: every day, we go out into the city **center** and hand out food or clothes (whatever is **needed**) to anyone who wants it or needs it.

ερωτήσεις κατανόησης

1. Τι λέει ο συγγραφέας ότι συμβαίνει πάντα στους δρόμους της Ρόδου;

2. Τι έκανε ο συγγραφέας όταν είδε μια γυναίκα που έμοιαζε να είναι έτοιμη να λιποθυμήσει;

3. Ποια ήταν η γνώμη του συγγραφέα για την ποικιλόμορφη ομάδα ανθρώπων που είδαν στην πόλη;

4. Τι συνέβη όταν ο συγγραφέας και ο φίλος τους πήγαν να φέρουν νερό για τη γυναίκα
ποιος ήταν έτοιμος να λιποθυμήσει;

5. Τι έκαναν ο συγγραφέας και ο φίλος τους μετά το γεύμα;

6. Ποια ήταν η αντίδραση του συγγραφέα στους ζητιάνους που είδαν στο δρόμο;

7. Τι είπε η φίλη του συγγραφέα ότι θα ήθελε να μπορούσε να κάνει για ανθρώπους σαν τον Αχμέντ;

8. Τι κάνει το έργο;

9. Για ποιον προορίζεται το έργο;

Comprehension Questions

1. What does the author say is always happening on the streets of Rhodes?

2. What did the author do when they saw a woman who looked like she was about to faint?

3. What did the author think of the diverse group of people they saw in the city?

4. What happened when the author and their friend went to get water for the woman
who was about to faint?

5. What did the author and their friend do after lunch?

6. What was the author's reaction to the beggars they saw on the street?

7. What did the author's friend say she wished she could do for people like Ahmed?

8. What does the project do?

9. Who is the project for?

Ένα γεύμα στην Κρήτη

Ο ήλιος μόλις είχε αρχίσει να ξεπροβάλλει από τον ορίζοντα, αλλά **ήδη** η ζέστη ήταν έντονη. Ένιωθα τον ιδρώτα να τρέχει στην πλάτη μου καθώς περνούσα μέσα από τα στενά δρομάκια του Ηρακλείου, **κατευθυνόμενος** προς ένα από τα αγαπημένα μου μέρη σε όλη την **Κρήτη** - το The Kitchen.Αυτό το μικρό εστιατόριο ήταν πάντα γεμάτο, όποια ώρα της ημέρας ή της νύχτας κι αν ήταν. Αλλά αυτό δεν με απέτρεψε από το να προσπαθώ να πιάσω τραπέζι με κάθε ευκαιρία. Το φαγητό εδώ δεν έμοιαζε με οτιδήποτε άλλο είχα δοκιμάσει ποτέ πριν - φρέσκο, γευστικό και απολύτως νόστιμο. έφτασα στο The Kitchen μόλις άνοιξε για δουλειά και γρήγορα εξασφάλισα μια θέση στην ουρά. Μέσα σε **λίγα λεπτά**, κάθισα σε ένα μικρό τραπέζι κοντά στο **παράθυρο** και περίμενα με ανυπομονησία το γεύμα μου.

A Meal in Crete

The sun had only just begun to peek over the horizon, but **already** the heat was intense. I could feel the sweat trickling down my back as I made my way through the narrow streets of Heraklion, **heading** towards one of my favorite places in all of **Crete** – The Kitchen. This small restaurant was always packed, no matter what time of day or night it was. But that didn't deter me from trying to get a table every chance I could. The food here was unlike anything I'd ever tasted before – fresh, flavorful, and absolutely delicious. I arrived at The Kitchen just as they were opening for business and quickly secured a spot in line. Within **minutes**, I was seated at a small table near the **window** and eagerly awaiting my meal.

Η **σερβιτόρα** έφτασε λίγο μετά από μένα, κουβαλώντας έναν μεγάλο δίσκο με φαγητό. **Τοποθέτησε** μπροστά μου ένα γεμάτο πιάτο με μουσακά, μαζί με ελληνική σαλάτα και πίτα. Ανυπομονούσα να φάω. Και το έκανα. Ο μουσακάς ήταν τόσο καλός όσο πάντα - το τέλειο μείγμα μπαχαρικών και γεύσεων. Οι πατάτες ήταν τέλεια ψημένες και ο κιμάς ήταν ζουμερός και γευστικός. Αλλά ήταν η **μελιτζάνα** που πραγματικά ξεχώρισα αυτή τη φορά - ήταν τόσο τρυφερή και **κρεμώδης**, που σχεδόν έλιωνε στο στόμα μου. Καθώς τελείωνα το γεύμα μου, δεν μπορούσα να μην παρατηρήσω την **αναστάτωση που επικρατούσε** έξω. Μια μεγάλη ομάδα ανθρώπων είχε συγκεντρωθεί στο δρόμο και φώναζε κάτι στα ελληνικά. Δεν μπορούσα να καταλάβω τι έλεγαν, αλλά ακουγόταν σαν να ήταν θυμωμένοι για κάτι.

The **waitress** arrived shortly after I did, carrying a large tray of food. She **placed** a heaping plate of Moussaka in front of me, along with a side of Greek salad and some pita bread. I could hardly wait to dig in. And dig in I did. The Moussaka was as good as always – the perfect mix of spices and flavors. The potatoes were perfectly cooked, and the ground beef was juicy and flavorful. But it was the **eggplant** that really stood out to me this time around – it was so tender and **creamy**, it practically melted in my mouth. As I finished up my meal, I couldn't help but notice the **commotion** going on outside. A large group of people had gathered in the street and were shouting something in Greek. I couldn't understand what they were saying, but it sounded like they were angry about something.

Η σερβιτόρα ήρθε στο τραπέζι μου και μου **εξήγησε ότι γινόταν** μια διαμαρτυρία - κάποιοι από τους ντόπιους ήταν αναστατωμένοι με την εισροή τουριστών τα τελευταία χρόνια. Πίστευαν ότι πάρα πολλοί άνθρωποι έρχονταν στην Κρήτη και κατέστρεφαν τον παραδοσιακό τρόπο ζωής της. Μπορούσα να καταλάβω την άποψή τους, αλλά την ίδια στιγμή, μου άρεσε να **εξερευνώ** νέα μέρη και να γνωρίζω νέους ανθρώπους. Αυτός ήταν ένας από τους λόγους για τους οποίους είχα έρθει στην Κρήτη εξ αρχής - για να **γνωρίσω** έναν διαφορετικό πολιτισμό και τρόπο ζωής. Αλλά φαινόταν ότι αυτοί οι διαδηλωτές δεν ήθελαν να έχει κανείς άλλος αυτή την ευκαιρία. Αφού πλήρωσα το λογαριασμό μου και αποχαιρέτησα τη σερβιτόρα, αποφάσισα να πάω να ελέγξω τη διαμαρτυρία. Ήθελα να δω τι ήταν όλη αυτή η φασαρία. Καθώς πλησίαζα, άκουγα ανθρώπους να φωνάζουν και να κρατούν πλακάτ που έγραφαν "Κρατήστε την Κρήτη **παραδοσιακή**" και "Όχι άλλοι τουρίστες". Ήταν ξεκάθαρο ότι δεν ήταν ευχαριστημένοι με τον τρόπο που εξελίσσονταν τα πράγματα. Προσπάθησα να μιλήσω σε μερικούς από τους **διαδηλωτές, αλλά** δεν ενδιαφέρονταν να τους ακούσουν. Απλώς συνέχισαν να φωνάζουν τα συνθήματά τους και να κουνάνε τις πινακίδες τους. Τελικά, τα παράτησα και απομακρύνθηκα. Ήταν ξεκάθαρο ότι δεν υπήρχε καμία λογική μαζί τους - ήταν παγιωμένοι στους τρόπους τους και δεν επρόκειτο να **αλλάξουν** σύντομα.

The waitress came over to my table and **explained** that there was a protest going on – some of the locals were upset about the influx of tourists in recent years. They thought that too many people were coming to Crete and ruining its traditional way of life. I could see their point, but at the same time, I loved **exploring** new places and meeting new people. That's one of the reasons why I'd come to Crete in the first place – to **experience** a different culture and way of life. But it seemed like these protesters didn't want anyone else to have that opportunity. After I paid my bill and said goodbye to the waitress, I decided to go check out the protest. I wanted to see what all the fuss was about. As I got closer, I could hear people chanting and carrying signs that read "Keep Crete **Traditional**" and "No More Tourists". It was clear that they were not happy with the way things were going. I tried to talk to some of the **protesters**, but they weren't interested in listening. They just kept shouting their slogans and waving their signs around. Eventually, I gave up and **walked** away. It was clear that there was no reasoning with them – they were set in their ways and weren't going to **change** anytime soon. As I made my way back to my hotel, I couldn't help but feel a little sad about what had happened at The Kitchen.

ερωτήσεις κατανόησης

1. Ποιο είναι το όνομα του εστιατορίου;

2. Τι ώρα της ημέρας ήταν όταν ο πρωταγωνιστής έφτασε στο εστιατόριο;

3. Ποιο ήταν το αγαπημένο πιάτο του πρωταγωνιστή;

4. Ποιο συνοδευτικό πιάτο συνοδεύει τον μουσακά;

5. Ποια ήταν η γνώμη του πρωταγωνιστή για τη μελιτζάνα στον μουσακά;

6. Ποια ήταν η φασαρία που παρατήρησε ο πρωταγωνιστής έξω από το εστιατόριο;

7. Τι διαμαρτύρονταν οι ντόπιοι;

8. Γιατί ο πρωταγωνιστής ήθελε να μιλήσει στους διαδηλωτές;

9. Ποια ήταν η γνώμη του πρωταγωνιστή για τους διαδηλωτές;

10. Πώς αισθάνθηκε ο πρωταγωνιστής καθώς απομακρύνθηκε από τη διαμαρτυρία;

Comprehension Questions

1. What is the name of the restaurant?

2. What time of day was it when the protagonist arrived at the restaurant?

3. What was the protagonist's favorite dish?

4. What side dish came with the Moussaka?

5. What was the protagonist's opinion of the eggplant in the Moussaka?

6. What was the commotion the protagonist noticed outside the restaurant?

7. What were the locals protesting?

8. Why did the protagonist want to talk to the protesters?

9. What was the protagonist's opinion of the protesters?

10. How did the protagonist feel as they walked away from the protest?

Απόγευμα στην Ολυμπία

Ο ήλιος έβγαινε και ο ουρανός ήταν γαλάζιος καθώς **περπατούσα** στο δρόμο της Ολυμπίας. Ο αέρας ήταν ζεστός και ένα ελαφρύ αεράκι έπνεε στην πόλη. Μπορούσα να μυρίσω τη φρεσκάδα της **άνοιξης** στον αέρα. Ένιωθα ευτυχισμένη και ικανοποιημένη καθώς περπατούσα, απολαμβάνοντας όλα τα αξιοθέατα και τους ήχους αυτής της όμορφης πόλης. **Σταμάτησα σε** μια καφετέρια για μεσημεριανό γεύμα και κάθισα έξω για να απολαύσω το γεύμα μου. Καθώς έτρωγα, παρακολουθούσα τον κόσμο και απολάμβανα όλη τη φασαρία της ζωής της πόλης γύρω μου. Μετά το μεσημεριανό γεύμα, περιπλανήθηκα λίγο ακόμα, κάνοντας ψώνια στις βιτρίνες και απολαμβάνοντας την παρουσία μου σε εξωτερικούς χώρους σε μια τόσο όμορφη μέρα. **Τελικά**, άρχισε να γίνεται αργά το απόγευμα και ο ήλιος άρχισε να βυθίζεται χαμηλότερα στον ουρανό. Αποφάσισα να επιστρέψω στο σπίτι, αλλά όχι πριν **σταματήσω σε** ένα παγωτατζίδικο για μια μικρή λιχουδιά! Την επόμενη μέρα, ξύπνησα νωρίς και αποφάσισα να εξερευνήσω λίγο ακόμα την Ολυμπία. Περπάτησα μέχρι την προκυμαία και απόλαυσα τη θέα των βουνών στο βάθος. Στη συνέχεια **περιπλανήθηκα** σε μερικές από τις γειτονιές, θαυμάζοντας όλα τα όμορφα παλιά σπίτια.

Afternoon in Olympia

The sun was out and the sky was blue as I **walked** down the street in Olympia. The air was warm and there was a slight breeze blowing through the city. I could smell the freshness of **springtime** in the air. I felt happy and content as I strolled along, taking in all the sights and sounds of this beautiful city. I **stopped** at a cafe for lunch and sat outside to enjoy my meal. As I ate, I people watched and enjoyed all the hustle and bustle of city life around me. After lunch, I wandered around some more, window shopping and enjoying being outdoors on such a lovely day. **Eventually**, it started to get late afternoon, and the sun began to sink lower in the sky. I decided to head back home, but not before **stopping** at an ice cream shop for a little treat first! The next day, I woke up early and decided to explore Olympia some more. I walked down to the waterfront and enjoyed the view of the mountains in the distance. Then I **wandered** through some of the neighborhoods, admiring all the beautiful old houses.

Τελικά, επέστρεψα στο κέντρο της πόλης και έκανα μερικά ακόμα **ψώνια**. Αγόρασα μερικά **σουβενίρ** για τους φίλους μου στην πατρίδα πριν φάω κάτι σε ένα χαριτωμένο μικρό καφέ. Μετά το γεύμα, περπάτησα για λίγο ακόμα, απολαμβάνοντας τα πάντα, προτού επιστρέψω στο σπίτι μου. Πέρασα υπέροχα εξερευνώντας την Ολυμπία και ανυπομονώ να ξαναπάω σύντομα! Είμαι τόσο χαρούμενη που αποφάσισα να περάσω μερικές μέρες στην Ολυμπία! Είναι μια τόσο **όμορφη** και γοητευτική πόλη. Μου άρεσε πολύ να εξερευνώ όλες τις διαφορετικές **γειτονιές** και τα καταστήματα. Και το φαγητό ήταν **καταπληκτικό**! Νομίζω ότι το αγαπημένο μου μέρος στην Ολυμπία, όμως, είναι να κάθομαι στην προκυμαία και να βλέπω τις βάρκες να περνούν. Υπάρχει κάτι τόσο ειρηνικό σε αυτό. Σίγουρα θα μπορούσα να φανταστώ τον εαυτό μου να περνάει περισσότερο χρόνο εδώ στο μέλλον.

Eventually, I made my way back downtown and did some more **shopping**. I bought a few **souvenirs** for friends back home before grabbing a bite to eat at a cute little cafe. After lunch, I walked around for a while longer, taking everything in before heading home again. I had such a wonderful time exploring Olympia and can't wait to go back again soon! I'm so glad I decided to spend a few days in Olympia! It's such a **beautiful** and charming city. I've loved exploring all the different **neighborhoods** and shops. And the food has been **amazing**! I think my favorite part of Olympia, though, is just sitting by the waterfront and watching the boats go by. There's something so peaceful about it. I could definitely see myself spending more time here in the future.

Ξύπνησα από τον ήχο των πουλιών **που κελαηδούσαν** έξω από το παράθυρό μου. Ο ήλιος μόλις ξεπρόβαλλε από τον ορίζοντα, ρίχνοντας μια ροζ και πορτοκαλί λάμψη στον ουρανό. Χασμουρήθηκα και τεντώθηκα πριν σηκωθώ από το κρεβάτι. Είχα άλλη μια γεμάτη μέρα εξερεύνησης της Ολυμπίας μπροστά μου! Μετά το **πρωινό**, ξεκίνησα και πάλι με τα πόδια, περιπλανώμενη Ο ήλιος είχε βγει και ο ουρανός ήταν γαλάζιος καθώς περπατούσα στο δρόμο της Ολυμπίας. Ο αέρας ήταν ζεστός και ένα ελαφρύ αεράκι έπνεε μέσα στην πόλη. Μπορούσα να μυρίσω τη φρεσκάδα της **άνοιξης** στον αέρα. Ένιωθα ευτυχισμένη και ικανοποιημένη καθώς περπατούσα, απολαμβάνοντας όλα τα αξιοθέατα και τους ήχους αυτής της όμορφης πόλης. Σταμάτησα σε μια καφετέρια για μεσημεριανό γεύμα και κάθισα έξω για να απολαύσω το γεύμα μου. Καθώς έτρωγα, παρακολουθούσα τον κόσμο και απολάμβανα όλη τη φασαρία της ζωής της πόλης γύρω μου. Μετά **το μεσημεριανό γεύμα**, περιπλανήθηκα λίγο ακόμα, ψώνιζα από τις βιτρίνες και απολάμβανα την παρουσία μου σε εξωτερικούς χώρους σε μια τόσο όμορφη μέρα. Τελικά, άρχισε να γίνεται αργά το απόγευμα και ο ήλιος άρχισε να βυθίζεται χαμηλότερα στον ουρανό.

I awoke to the sound of birds **chirping** outside my window. The sun was just peeking over the horizon, casting a pink and orange glow in the sky. I yawned and stretched before getting out of bed. I had another full day of exploring Olympia ahead of me! After **breakfast**, I set out on foot again, wandering The sun was out and the sky was blue as I walked down the street in Olympia. The air was warm and there was a slight breeze blowing through the city. I could smell the freshness of **springtime** in the air. I felt happy and content as I strolled along, taking in all the sights and sounds of this beautiful city. I stopped at a cafe for lunch and sat outside to enjoy my meal. As I ate, I people watched and enjoyed all the hustle and bustle of city life around me. After **lunch**, I wandered around some more, window shopping and enjoying being outdoors on such a lovely day. Eventually, it started to get late afternoon, and the sun began to sink lower in the sky.

ερωτήσεις κατανόησης

1. Τι εποχή του χρόνου αναφέρεται στο κείμενο;

2. Πώς ήταν ο καιρός;

3. Τι έκανε ο πρωταγωνιστής μετά το γεύμα;

4. Ποια ήταν η γνώμη του πρωταγωνιστή για την πόλη;

5. Ποιο ήταν το αγαπημένο μέρος της πόλης για τον πρωταγωνιστή;

6. Τι έκανε ο πρωταγωνιστής την επόμενη μέρα;

7. Τι έφαγε ο πρωταγωνιστής για πρωινό;

8. Ποιο ήταν το σχέδιο του πρωταγωνιστή για την ημέρα;

9. Τι σκέφτηκε ο πρωταγωνιστής για την πόλη τη δεύτερη μέρα;

10. Τι θέλει να κάνει ο πρωταγωνιστής στο μέλλον;

Comprehension Questions

1. What time of year is it in the text?

2. What was the weather like?

3. What did the protagonist do after lunch?

4. What did the protagonist think of the city?

5. What was the protagonist's favorite part of the city?

6. What did the protagonist do the next day?

7. What did the protagonist have for breakfast?

8. What was the protagonist's plan for the day?

9. What did the protagonist think of the city the second day?

10. What does the protagonist want to do in the future?

Η Ακρόπολη

Ο ήλιος **έπεφτε** πάνω στα αρχαία ερείπια της Ακρόπολης, κάνοντας τους πέτρινους τοίχους να είναι καυτοί στην αφή. Ο αέρας ήταν ακίνητος και σκονισμένος, και δεν υπήρχε ψυχή στον ορίζοντα. Ένιωσα σαν να είχα γυρίσει πίσω στο χρόνο καθώς περιπλανιόμουν στους άδειους **δρόμους**, φανταζόμενος πώς πρέπει να ήταν όταν αυτό το μέρος ήταν γεμάτο ζωή. Σταμάτησα σε έναν από τους ναούς και ανέβηκα στην κορυφή των σκαλοπατιών του. Από εδώ, μπορούσα να δω για μίλια προς κάθε **κατεύθυνση**. Η θέα **έκοβε την ανάσα**, αλλά ήταν και παράξενα γαλήνια. Ένιωθα ωραία να περιβάλλομαι από ιστορία και να ξέρω ότι στεκόμουν σε ένα μέρος που είχε δει τόσα πολλά στο πέρασμα των αιώνων. Καθώς καθόμουν εκεί και τα απολάμβανα όλα αυτά, άκουσα έναν θόρυβο από κάτω μου. Ακουγόταν σαν κάποιος να έκλαιγε. Από περιέργεια, κατέβηκα από τη **θέση μου** και ακολούθησα τον ήχο μέχρι που έφτασα σε μια μικρή **εσοχή** όπου μια γυναίκα καθόταν στο έδαφος με το κεφάλι της στα χέρια.

The Acropolis

The sun was **beating** down on the ancient ruins of the Acropolis, making the stone walls feel hot to the touch. The air was still and dusty, and there wasn't a soul in sight. I felt like I had stepped back in time as I wandered through the empty **streets**, imagining what it must have been like when this place was full of life. I stopped at one of the temples and climbed up to the top of its steps. From here, I could see for miles in every **direction**. The view was **breathtaking**, but it was also strangely peaceful. It felt good to be surrounded by history and to know that I was standing in a place that had seen so much over the centuries. As I sat there taking it all in, I heard a noise coming from below me. It sounded like someone was crying. Curious, I climbed down from my **perch** and followed the sound until I came to a small **alcove** where a woman was sitting on the ground with her head in her hands.

Η **γυναίκα** κοίταξε όταν πλησίασα και είδα ότι έκλαιγε. Τα μάτια της ήταν κόκκινα και πρησμένα και τα μάγουλά της ήταν βρεγμένα από τα δάκρυα. Έμοιαζε σαν να είχε περάσει πολλά τελευταία. "Είσαι καλά;" ρώτησα απαλά, χωρίς να είμαι σίγουρος αν έπρεπε να εισβάλω στην ιδιωτική της ζωή ή όχι. Μύρισε και σκούπισε το πρόσωπό της με το **μανίκι του** φορέματός της. "Είμαι καλά", είπε, αλλά ήταν **προφανές** ότι δεν έλεγε την αλήθεια. "Απλώς... αυτό το μέρος είναι τόσο όμορφο, αλλά και τόσο θλιβερό". Έκανε μια χειρονομία στα ερείπια της Ακρόπολης γύρω μας. "Μου **θυμίζει** πως όλα καταρρέουν τελικά".

The **woman** looked up as I approached, and I could see that she was crying. Her eyes were red and swollen, and her cheeks were wet with tears. She looked like she had been through a lot lately. "Are you okay?" I asked gently, not sure if I should intrude on her privacy or not. She sniffed and wiped her face with the **sleeve** of her dress. "I'm fine," she said, but it was **obvious** that she wasn't telling the truth. "It's just... this place is so beautiful, but it's also so sad." She gestured around at the ruins of the Acropolis around us. "It **reminds** me of how everything falls apart eventually."

"Αλλά ακόμα κι αν τα πράγματα καταρρέουν, μπορούν επίσης να ξαναχτιστούν", είπα απαλά, σκεπτόμενος όλες τις φορές στη δική μου ζωή που τα πράγματα δεν είχαν πάει σύμφωνα με το σχέδιο, αλλά είχα καταφέρει να ξανασηκωθώ, **παρ' όλα αυτά**. "Αυτό το μέρος είναι μια **απόδειξη** γι' αυτό". Η **γυναίκα** έγνεψε αργά, δείχνοντας να παίρνει κατάκαρδα τα λόγια μου. "Έχεις δίκιο", είπε μετά από λίγο. "Πάντα υπάρχει ελπίδα για κάτι καινούργιο". Με αυτά τα λόγια, σηκώθηκε και σκούπισε το φόρεμά της. Στη συνέχεια, χωρίς άλλη λέξη, απομακρύνθηκε από κοντά μου σε έναν από τους αρχαίους δρόμους της Ακρόπολης, αφήνοντάς με για άλλη μια φορά μόνο μου με μόνη συντροφιά τις σκέψεις μου. Κάθισα εκεί για λίγο ακόμα, αφήνοντας τα λόγια της να εντρυφήσουν στο μυαλό μου. Είχε δίκιο - παρόλο που η Ακρόπολη ήταν ερειπωμένη, εξακολουθούσε να είναι ένα καταπληκτικό μέρος. Και όπως ακριβώς αυτή η αρχαία πόλη, όλοι μας έχουμε τη δυνατότητα να αναγεννηθούμε ξανά, αφού περάσουμε δύσκολες στιγμές. **Τελικά**, σηκώθηκα και συνέχισα να **εξερευνώ** την Ακρόπολη. Παρόλο που ήταν άδεια, εξακολουθούσε να μοιάζει με ένα ξεχωριστό μέρος - ένα μέρος που δεν θα ξεχνούσα ποτέ.

"But even though things fall apart, they can also be rebuilt," I said softly, thinking of all the times in my own life when things hadn't gone according to plan, but I had managed to pick myself back up again **nonetheless**. "This place is a **testament** to that." The **woman** nodded slowly, seeming to take my words to heart. "You're right," she said after a moment. "There's always hope for something new." With that, she stood up and brushed off her dress. Then, without another word, she walked away from me down one of the ancient streets of the Acropolis, leaving me alone once again with only my thoughts for company. I sat there for a while longer, letting her words sink in. She was right-even though the Acropolis was in ruins, it was still an amazing place. And just like this ancient city, we all have the potential to rise again after we've been through tough times. **Eventually**, I got up and continued **exploring** the Acropolis. Even though it was empty, it still felt like a special place—one that I would never forget.

ερωτήσεις κατανόησης

1. Τι βλέπει ο πρωταγωνιστής από την κορυφή του ναού;

2. Πώς αισθάνεται ο πρωταγωνιστής για τα αρχαία ερείπια;

3. Ποιον συναντά ο πρωταγωνιστής στην εσοχή;

4. Γιατί κλαίει η γυναίκα στην εσοχή;

5. Τι λέει ο πρωταγωνιστής στη γυναίκα;

6. Πώς αντιδρά η γυναίκα στα λόγια του πρωταγωνιστή;

7. Πού πηγαίνει η γυναίκα αφού αφήσει τον πρωταγωνιστή;

8. Τι κάνει ο πρωταγωνιστής αφού φύγει η γυναίκα;

9. Ποια είναι η συνολική γνώμη του πρωταγωνιστή για την Ακρόπολη;

Comprehension Questions

1. What does the protagonist see from the top of the temple?

2. How does the protagonist feel about the ancient ruins?

3. Who does the protagonist meet in the alcove?

4. What is the woman in the alcove crying about?

5. What does the protagonist say to the woman?

6. How does the woman react to the protagonist's words?

7. Where does the woman go after she leaves the protagonist?

8. What does the protagonist do after the woman leaves?

9. What is the protagonist's overall opinion of the Acropolis?

Όρος Όλυμπος

Ο ήλιος μόλις είχε αρχίσει να ξεπροβάλλει από τον **ορίζοντα**, ρίχνοντας μια ροζ και πορτοκαλί λάμψη στον ουρανό. Τα πουλιά κελαηδούσαν και το αεράκι φυσούσε απαλά ανάμεσα στα δέντρα. Ήταν μια όμορφη μέρα. Ο Όλυμπος φαινόταν στο **βάθος**, με την κορυφή του να **καλύπτεται** από σύννεφα. Λέγεται ότι ο Δίας, ο βασιλιάς των θεών, ζούσε στην κορυφή του Ολύμπου. Κάποιοι έλεγαν ότι μπορούσε να ελέγχει τον καιρό και ότι προκαλούσε καταιγίδες όταν θύμωνε. Άλλοι έλεγαν ότι ήταν ευγενικός και **καλοπροαίρετος** και βοηθούσε όσους είχαν ανάγκη. Κανείς δεν ήξερε με σιγουριά γιατί κανείς δεν είχε πάει ποτέ στον Όλυμπο και δεν είχε επιστρέψει για να διηγηθεί την ιστορία.

Mount Olympus

The sun had just begun to peek over the **horizon**, casting a pink and orange glow across the sky. The birds were singing, and the breeze was blowing gently through the trees. It was a beautiful day. Mount Olympus loomed in the **distance**, its peak **shrouded** in clouds. It is said that Zeus, king of the gods, lived atop Mount Olympus. Some said that he could control the weather and that he caused storms when he was angry. Others said that he was kind and **benevolent** and would help those in need. No one knew for sure because no one had ever been to Mount Olympus and returned to tell the tale.

Σήμερα, όμως, κάποιος θα έκανε το ταξίδι στον Όλυμπο: μια νεαρή γυναίκα, η Σάρα, η οποία είχε χάσει πρόσφατα τον σύζυγό της σε ένα τραγικό ατύχημα. Ήθελε απαντήσεις από τον Δία- ήθελε να μάθει γιατί συνέβη αυτό και τι θα μπορούσε να κάνει για να μην ξανασυμβεί. Έτσι, με **αποφασιστικότητα** στην καρδιά της, η Σάρα ξεκίνησε την ανάβασή της στον Όλυμπο. Όσο πλησίαζε η Σάρα στον **Όλυμπο**, τόσο περισσότερο συνειδητοποιούσε πόσο τρομακτικό ήταν το έργο που είχε μπροστά της. Το βουνό ήταν τεράστιο και δεν είχε ιδέα από πού να ξεκινήσει την αναρρίχηση. Αλλά αρνήθηκε να τα παρατήσει- ο σύζυγός της άξιζε κάτι καλύτερο από αυτό. Έτσι, η Σάρα συνέχισε να προχωρά, αναζητώντας έναν τρόπο να ανέβει στο βουνό. Περιπλανιόταν για ώρες, **γρατζουνιόταν** από κλαδιά και σκόνταφτε σε βράχους. Αλλά τελικά βρήκε ένα μονοπάτι που φαινόταν να οδηγεί προς τα πάνω. Το ακολούθησε με ανυπομονησία, ελπίζοντας ότι θα την οδηγούσε στον Δία. Το μονοπάτι ήταν μακρύ και **δαιδαλώδες,** αλλά η Σάρα επέμενε. Δεν ήταν σίγουρη για πόσο ακόμα θα μπορούσε να συνεχίσει χωρίς φαγητό ή νερό, αλλά δεν ήθελε να γυρίσει πίσω τώρα. Τελικά, μετά από μέρες περπατήματος, η Σάρα έφτασε στην κορυφή του Ολύμπου. Και εκεί ήταν: Ο ίδιος ο Δίας, καθισμένος στο θρόνο του με έναν κεραυνό στο χέρι.

But today, someone would be making the journey up Mount Olympus: a young woman named Sarah, who had recently lost her husband in a tragic accident. She wanted answers from Zeus; she needed to know why this happened and what she could do to prevent it from happening again. So, with **determination** in her heart, Sarah began her ascent up Mount Olympus. The closer Sarah got to Mount **Olympus**, the more she realized how daunting the task before her was. The mountain was huge, and she had no idea where to start climbing. But she refused to give up; her husband deserved better than that. So Sarah kept going, searching for a way up the mountain. She wandered for hours, getting **scratched** by branches and tripping over rocks. But finally, she found a path that seemed to be leading upwards. She followed it eagerly, hoping that it would take her to Zeus. The path was long and **winding**, but Sarah persevered. She wasn't sure how much longer she could go on without food or water, but she didn't want to turn back now. Finally, after what felt like days of walking, Sarah reached the top of Mount Olympus. And there he was: Zeus himself, sitting on his throne with a thunderbolt in hand.

Η Σάρα πλησίασε τον Δία με προσοχή. Δεν ήξερε τι να περιμένει, αλλά ήξερε ότι έπρεπε να πει τη γνώμη της. "Δία", άρχισε, "ήρθα εδώ επειδή χρειαζόμουν απαντήσεις. Ο σύζυγός μου έχασε τη ζωή του σε ένα τραγικό **ατύχημα** και θέλω να μάθω γιατί **συνέβη** και τι μπορώ να κάνω για να μην ξανασυμβεί. " Ο Δίας κοίταξε τη Σάρα με οίκτο στα μάτια του. Μπορούσε να δει τον πόνο και την ταλαιπωρία που ήταν χαραγμένα στο πρόσωπό της. "Παιδί μου", είπε απαλά, "δεν υπάρχει εύκολη απάντηση στο ερώτημά σου. Μερικές φορές τα άσχημα πράγματα συμβαίνουν χωρίς κανένα λόγο. Αλλά σου **υπόσχομαι** το εξής: ο **σύζυγός** σου βρίσκεται σε ένα καλύτερο μέρος τώρα και θα σε προσέχει πάντα. " Με αυτά τα λόγια, η Σάρα ένιωσε να φεύγει λίγο από το βάρος των ώμων της. Δεν είχε όλες τις απαντήσεις που έψαχνε, αλλά ο Δίας της είχε δώσει, παρ' όλα αυτά, λίγη ηρεμία. Ευχαριστώντας τον για το χρόνο του, η Σάρα γύρισε και ξεκίνησε να κατεβαίνει το **βουνό,** έτοιμη να αντιμετωπίσει ό,τι της έφερνε η ζωή στο δρόμο της στη συνέχεια.

Sarah approached Zeus cautiously. She wasn't sure what to expect, but she knew that she needed to speak her mind. "Zeus," she began, "I came here because I needed answers. My husband died in a tragic **accident**, and I want to know why it **happened** and what I can do to prevent it from happening again. " Zeus looked down at Sarah with pity in his eyes. He could see the pain and suffering etched into her face. "My child," he said softly, "there is no easy answer to your question. Sometimes bad things happen for no reason at all. But I **promise** you this: your **husband** is in a better place now and he will always be watching over you. " With those words, Sarah felt some of the weight lift off of her shoulders. She didn't have all the answers she was looking for, but Zeus had given her some peace of mind nonetheless. Thanking him for his time, Sarah turned around and started back down the **mountain**, ready to face whatever life threw her way next.

ερωτήσεις κατανόησης

1. Ποιο ήταν το όνομα του συζύγου της Σάρας;

2. Πώς ένιωσε η Σάρα όταν έφτασε στην κορυφή του Ολύμπου;

3. Τι είπε ο Δίας στη Σάρα για τον σύζυγό της;

4. Γιατί η Σάρα ήθελε να μιλήσει στον Δία;

5. Τι είπε ο Δίας για τα κακά πράγματα που συμβαίνουν;

6. Πού βρίσκεται ο Όλυμπος;

7. Πώς λέγεται ότι είναι ο καιρός στον Όλυμπο;

8. Τι έκανε η Σάρα όταν δεν μπορούσε να βρει τρόπο να ανέβει στο βουνό;

9. Πώς ήταν το μονοπάτι που βρήκε η Σάρα;

10. Τι έκανε η Σάρα όταν τελείωσε να μιλάει στον Δία;

Comprehension Questions

1. What was Sarah's husband's name?

2. How did Sarah feel when she reached the top of Mount Olympus?

3. What did Zeus tell Sarah about her husband?

4. Why did Sarah want to speak to Zeus?

5. What did Zeus say about bad things happening?

6. Where is Mount Olympus located?

7. What is the weather said to be like on Mount Olympus?

8. What did Sarah do when she couldn't find a way up the mountain?

9. What was the path like that Sarah found?

10. What did Sarah do when she was finished speaking to Zeus?

Στην παραλία

Μετά την ανατολή του ήλιου, τα κύματα είναι πιο δυνατά και η άμμος πάνω από την παλίρροια είναι λευκή. Κατεβαίνω στην παραλία, **θαυμάζοντας** τη θάλασσα και τον ήλιο. Τα δάχτυλα των ποδιών μου αισθάνονται τα αυλάκια των κοχυλιών. Η άμμος είναι κρύα στα δάχτυλα των ποδιών μου. Χαμογελάω και συνεχίζω. Η παλίρροια είναι υψηλή, οπότε πρέπει να προσέχω να μην με τραβήξει μέσα. Περπατάω κατά μήκος της άκρης του νερού, θαυμάζοντας τη θάλασσα. Η ανατολή του ήλιου είναι **πανέμορφη** και τα κύματα σκάνε. Νιώθω τόσο γαλήνια. Έρχομαι σε ένα σημείο όπου υπάρχει μια βραχώδης προεξοχή. Κάθομαι και παρακολουθώ τα κύματα. Το νερό είναι τόσο γαλάζιο και ο ουρανός τόσο **πορτοκαλί**. Νιώθω σαν να βρίσκομαι σε όνειρο. Κλείνω τα μάτια μου και απλά ακούω τα κύματα. Κάθισα εκεί για πολλή ώρα, μέχρι που άκουσα κάποιον να φωνάζει το όνομά μου.

At the beach

After sunrise, the waves are louder and the sand above the tide is white. I walk down to the beach, **admiring** the sea and the sun. My toes feel the grooves of shells. The sand is cold on my toes. I smile and keep going. The tide is high, so I have to be careful not to get pulled in. I walk along the water's edge, admiring the sea. The sunrise is **beautiful**, and the waves are crashing. I feel so peaceful. I come to a spot where there is a rock outcropping. I sit down and watch the waves. The water is so blue and the sky is so **orange**. I feel like I'm in a dream. I close my eyes and just listen to the waves. I sat there for a long time, until I heard someone calling my name.

Ανοίγω τα μάτια μου και βλέπω τη μαμά μου να έρχεται προς το μέρος μου. Έχει ένα ανήσυχο βλέμμα στο πρόσωπό της. Χαμογελάω και χαιρετάω και εκείνη **χαλαρώνει**. "Αναρωτιόμουν πού πήγες", λέει. "Χαίρομαι που απολαμβάνεις την παραλία". Της απαντάω: "Ναι, χαίρομαι". "Είναι τόσο όμορφα εδώ". "Το ξέρω", λέει. "Όταν ήμουν στην ηλικία σου, ερχόμουν συνέχεια εδώ". "Αλήθεια;" Ρωτάω. "Ναι", απαντάει. "Είναι ένα ξεχωριστό μέρος." "Γνώρισες ποτέ κάποιον ξεχωριστό εδώ;" Ρωτάω. "Ναι", απαντάει χαμογελώντας. "Τον πατέρα σου." "Αλήθεια;" Λέω **έκπληκτος**. "Ναι", λέει. "Συνηθίζαμε να ερχόμαστε εδώ όλη την ώρα μαζί. Εδώ ερωτευτήκαμε. " Χαμογελάω, **φαντάζομαι** τους γονείς μου να ερωτεύονται σε αυτή την όμορφη παραλία. "Είναι ένα ξεχωριστό μέρος", επαναλαμβάνει. "Χαίρομαι που ήρθες εδώ σήμερα".

I open my eyes and see my mom walking towards me. She has a worried look on her face. I smile and wave, and she **relaxes**. "I was wondering where you went," she says. "I'm glad you're enjoying the beach." I reply, "I am." "It's so beautiful here." "I know," she says. "I used to come here all the time when I was your age." "Really?" I ask. "Yeah," she replies. "It's a special place.""Did you ever meet anyone special here?" I ask. "I did," she replies with a smile. "Your father." "Really?" I say, **surprised**. "Yes," she says. "We used to come here all the time together. It's where we fell in love. " I smile, **imagining** my parents falling in love on this beautiful beach. "It's a special place," she repeats. "I'm glad you came here today."

Καθόμαστε εκεί για λίγο ακόμα, **παρακολουθώντας** τα κύματα και το ηλιοβασίλεμα. Μετά σηκωνόμαστε και επιστρέφουμε στις πετσέτες μας στην παραλία. Ξαπλώνω και κοιτάζω τα αστέρια. Νιώθω τόσο ευτυχισμένη και ικανοποιημένη. Τα κύματα είναι πιο δυνατά τώρα, και η άμμος είναι κρύα. Ο ήλιος δύει και φυσάει ένα δροσερό αεράκι. Τα κύματα σκάνε στην ακτή και η μυρωδιά του αλατιού είναι στον αέρα. Είναι ένα τέλειο βράδυ για να βρίσκεσαι στην παραλία. Περπατάω κατά μήκος της ακτής, **ακούγοντας τον** ήχο των κυμάτων και παρακολουθώντας το ηλιοβασίλεμα. Βλέπω μια ομάδα ανθρώπων να κάθεται στην άμμο, να γελούν και να αστειεύονται. Φαίνεται να περνούν πολύ καλά. Τους πλησιάζω και τους ρωτάω αν μπορώ να τους κάνω παρέα. Μου λένε ναι και περνάμε το υπόλοιπο της βραδιάς μιλώντας, γελώντας και βλέποντας το **ηλιοβασίλεμα**. Είναι ένα τέλειο βράδυ. Η ομάδα και εγώ μιλάμε μέχρι να δύσει ο ήλιος. Μοιραζόμαστε ιστορίες και αστεία και περνάμε όλοι πολύ καλά. Καθώς η νύχτα αρχίζει να πέφτει, αρχίζουμε όλοι να νιώθουμε κουρασμένοι. Φιλάμε ο ένας τον άλλον **για αντίο** και οι δρόμοι μας χωρίζουν. Επιστρέφω στο ξενοδοχείο μου, νιώθοντας χαρούμενος και ικανοποιημένος. Δεν μπορώ να πιστέψω πόσο όμορφα είναι εδώ. Είμαι τόσο τυχερός που το **έζησα**.

We sit there for a while longer, **watching** the waves and the sunset. Then we get up and walk back to our beach towels. I lie down and look at the stars. I feel so happy and content. The waves are louder now, and the sand is cold. The sun is setting and a cool breeze is blowing. The waves are crashing against the shore, and the smell of salt is in the air. It is a perfect evening to be at the beach. I am walking along the shore, **listening** to the sound of the waves and watching the sunset. I see a group of people sitting on the sand, laughing and joking around. They look like they are having a great time. I walk over to them and ask if I can join them. They say yes, and we spend the rest of the evening talking, laughing, and watching the **sunset**. It is a perfect evening. The group and I talk until the sun sets. We share stories and jokes, and we all have a great time. As the night starts to fall, we all start to feel tired. We kiss each other **goodbye** and part ways. I walk back to my hotel, feeling happy and content. I can't believe how lovely it is here. I'm so lucky to have **experienced** it.

ερωτήσεις κατανόησης

1. Πού πηγαίνει η αφηγήτρια αφού ξυπνήσει;

2. Τι θαυμάζει η αφηγήτρια καθώς περπατά κατά μήκος της παραλίας;

3. Τι πρέπει να προσέχει η αφηγήτρια καθώς περπατάει στην παραλία;

4. Πού κάθεται ο αφηγητής για να απολαύσει τη θέα;

5. Πόση ώρα κάθεται εκεί ο αφηγητής;

6. Ποιον βλέπει η αφηγήτρια όταν ανοίγει ξανά τα μάτια της;

7. Τι λέει η μητέρα του αφηγητή;

8. Τι συζητούν η αφηγήτρια και οι άνθρωποι που συναντά;

Comprehension Questions

1. Where does the narrator go after she wakes up?

2. What is the narrator admiring as she walks along the beach?

3. What does the narrator have to watch out for as she walks along the beach?

4. Where does the narrator sit down to enjoy the view?

5. How long does the narrator sit there?

6. Whom does the narrator see when she opens her eyes again?

7. What does the narrator's mother say?

8. What do the narrator and the people she meets talk about?

Κάμπινγκ στη λίμνη

Περπατάω προς τη λίμνη, **θαυμάζοντας** την ηρεμία της σκηνής. Ο ήλιος πέφτει πάνω στη μικρή λίμνη, κάνοντας το νερό να μοιάζει με γυάλινο φύλλο. Η μόνη κίνηση είναι ο περιστασιακός κυματισμός από ένα ψάρι που **σπάει** την επιφάνεια. Ακόμα και τα πουλιά φαίνεται να κάνουν ένα διάλειμμα από τη ζέστη, με μόνο τον ήχο των τζιτζικιών να γεμίζει τον αέρα. **Ξαφνικά**, η γαλήνη διακόπτεται από έναν δυνατό παφλασμό. Ένα μεγάλο **ψάρι** έχει πηδήξει έξω από το νερό, προσπαθώντας να πιάσει μια λιβελούλα. Το ψάρι χάνει το στόχο του και πέφτει πίσω στο νερό με έναν παφλασμό. "Ουάου", σκέφτομαι, "αυτό ήταν ένα μεγάλο ψάρι!". Κοίταξα γύρω μου για να δω αν το είδε κάποιος άλλος, αλλά δεν υπήρχε κανείς τριγύρω. Υποθέτω ότι θα πρέπει να τους το πω όταν επιστρέψω στην κατασκήνωση.

Camping at the Lake

I walk towards the lake, **admiring** the peacefulness of the scene. The sun is beating down on the small lake, making the water look like a sheet of glass. The only movement is the occasional ripple from a fish **breaking** the surface. Even the birds seem to be taking a break from the heat, with only the sound of cicadas filling the air. **Suddenly**, the peace is broken by a loud splash. A large **fish** has jumped out of the water, trying to catch a dragonfly. The fish misses its target and falls back into the water with a splash. "Wow," I think to myself, "that was a big fish!." I looked around to see if anyone else saw it, but there was no one around. I guess I'll have to tell them when I get back to camp.

Η ζέστη είναι **αποπνικτική**, με αποτέλεσμα να δυσκολεύεσαι να αναπνεύσεις. Ο αέρας είναι πυκνός και βαρύς, σαν κουβέρτα που σε τυλίγει. Η μόνη ανακούφιση είναι το νερό. Είναι δροσερό και αναζωογονητικό, σαν ένα κρύο ποτό σε μια ζεστή μέρα. Παίρνω μια βαθιά ανάσα και βουτάω στο νερό. Η ανακούφιση είναι άμεση καθώς το δροσερό νερό με περιβάλλει. Κολυμπάω μέχρι το βυθό και μετά ξαναβγαίνω στην επιφάνεια, νιώθοντας το νερό να δροσίζει το σώμα μου. Συνεχίζω να **κολυμπάω** γύρους, απολαμβάνοντας την ανάπαυλα από τη ζέστη. Μετά από λίγο, βγαίνω από το νερό και ξαπλώνω στο γρασίδι, αφήνοντας τον ήλιο να στεγνώσει το σώμα μου. Κλείνω τα μάτια μου και πέφτω για ύπνο, με τον ήχο των **τζιτζικιών** να με νανουρίζει σε βαθύ ύπνο. Αφήνω τον ήλιο να βγάλει το νερό από το δέρμα μου. Νιώθω το δέρμα μου να κοκκινίζει, αλλά δεν με νοιάζει. Κάνω πολύ ζέστη για να με νοιάζει. Το επόμενο πράγμα που καταλαβαίνω είναι ότι ο ήλιος δύει. Ο ουρανός έχει ένα όμορφο πορτοκαλί χρώμα, με ροζ και μοβ ανταύγειες. Η ζέστη έχει φύγει, και τη θέση της έχει πάρει ένα δροσερό **αεράκι**.

The heat is **oppressive**, making it hard to breathe. The air is thick and heavy, like a blanket wrapped around you. The only relief is in the water. It is cool and refreshing, like a cold drink on a hot day. I take a deep breath and dive into the water. The relief is immediate as the cool water surrounds me. I swim down to the bottom and then back up to the surface, feeling the water cool my body. I continue **swimming** laps, enjoying the respite from the heat. After a while, I get out of the water and lie down on the grass, letting the sun dry my body. I close my eyes and drift off to sleep, the sound of the **cicadas** lulling me into a deep slumber. I let the sun bake the water out of my skin. I can feel my skin getting red, but I don't care. I am too hot to care. The next thing I know, the sun is setting. The sky is a beautiful orange, with streaks of pink and purple. The heat is gone, replaced by a cool **breeze**.

Σηκώνομαι και ξαναφορώ τα ρούχα μου, νιώθοντας ανανεωμένη και αναζωογονημένη. Παίρνω μια βαθιά **ανάσα** από τον δροσερό αέρα και χαμογελάω. Είναι ωραίο να είσαι ζωντανός. Επιστρέφω με τα πόδια στην κατασκήνωση, θαυμάζοντας τον τρόπο που τα χρώματα χορεύουν στον ουρανό. Βλέπω τη φωτιά να καίει στο βάθος και μυρίζω τον καπνό στον αέρα. Χαμογελάω και **επιταχύνω** το βήμα μου. Είμαι έτοιμη να χαλαρώσω και να απολαύσω το υπόλοιπο της βραδιάς μου. Μπαίνω στο κάμπινγκ και βλέπω ότι όλοι είναι συγκεντρωμένοι γύρω από τη φωτιά. **Γελούν** και αστειεύονται και βλέπω τη φωτιά να αντανακλάται στα μάτια τους. Χαμογελάω και κάθομαι δίπλα στους φίλους μου. Είναι ωραία που επέστρεψα. Το επόμενο πρωί, ξυπνάω νωρίς και αρχίζω να μαζεύω τα πράγματά μου. Ανυπομονώ να επιστρέψω στο μονοπάτι και να συνεχίσω το ταξίδι μου. Αποχαιρετώ τους φίλους μου και αρχίζω να απομακρύνομαι. Καθώς περπατάω, ρίχνω μια τελευταία ματιά στο **κάμπινγκ**. Βλέπω τη φωτιά να καίει ακόμα στο βάθος και μυρίζω τον καπνό στον αέρα. Χαμογελάω και επιταχύνω το βήμα μου. Είμαι έτοιμος να συνεχίσω το **ταξίδι μου**.

I get up and put my clothes back on, feeling refreshed and rejuvenated. I take a deep **breath** of the cool air and smile. It feels good to be alive. I walk back to the campsite, admiring the way the colors dance in the sky. I can see the campfire burning in the distance, and I can smell the smoke in the air. I smile and **quicken** my pace. I am ready to relax and enjoy the rest of my evening. I walk into the campsite and see that everyone is gathered around the fire. They are **laughing** and joking, and I can see the fire reflecting in their eyes. I smile and sit down next to my friends. It is good to be back. The next morning, I wake up early and start to pack up my things. I am eager to get back on the trail and continue my journey. I say goodbye to my friends and start to walk away. As I walk, I take one last look at the **campsite**. I can see the fire still burning in the distance, and I can smell the smoke in the air. I smile and quicken my pace. I'm ready to continue my **journey**.

ερωτήσεις κατανόησης

1. Πού πηγαίνει ο περιπατητής;

2. τι είδους καιρός επικρατεί;

3. Πώς μοιάζει το νερό;

4. Πώς αντιδρά ο περιπατητής στη ζέστη;

5. Τι κάνει το ψάρι;

6. Γιατί ο περιπατητής είναι μόνος του;

7. Πώς αισθάνεστε το νερό;

8. Πώς αισθάνεται ο περιπατητής μετά το κολύμπι;

9. Τι ώρα της ημέρας είναι όταν ο περιπατητής ξυπνάει;

10. Πού πηγαίνει ο περιπατητής όταν φεύγει από τον καταυλισμό;

Comprehension Questions

1. Where is the walker going?

2. What kind of weather is it?

3. What does the water look like?

4. How does the walker react to the heat?

5. What is the fish doing?

6. Why is the walker alone?

7. How does the water feel?

8. How does the walker feel after swimming?

9. What time of day is it when the walker wakes up?

10. Where does the walker go when he leaves the camp?

Το σπίτι

Μετακόμισα στο νέο μου σπίτι την περασμένη εβδομάδα και είμαι τόσο **ενθουσιασμένη**! Είναι πολύ μεγαλύτερο από το παλιό μου και έχει μεγάλη αυλή. Ανυπομονώ να καλέσω φίλους για μπάρμπεκιου και πάρτι. **Το αγαπημένο μου** μέρος είναι η νέα μου κρεβατοκάμαρα. Είναι τόσο μεγάλο και φωτεινό και έχω πολύ χώρο για να βάλω όλα μου τα πράγματα. Είμαι πολύ χαρούμενη με το νέο μου σπίτι και νομίζω ότι θα είμαι πολύ ευτυχισμένη εδώ. Αποφάσισα να εξερευνήσω το σπίτι λίγο περισσότερο. Ανέβηκα στον δεύτερο όροφο και άρχισα να κατευθύνομαι προς την κουζίνα, όταν είδα μια μεγάλη μαύρη αράχνη στον τοίχο! Ούρλιαξα και έτρεξα κάτω. **Φοβήθηκα** τόσο πολύ! Αλλά μετά από λίγα λεπτά, ηρέμησα και αποφάσισα να ξαναπάω επάνω. Πήγα σιγά σιγά στην κουζίνα και είδα ότι η αράχνη είχε φύγει. Ανακουφίστηκα τόσο πολύ! Κατέβηκα ξανά κάτω και αποφάσισα να βγω έξω να εξερευνήσω την **πίσω αυλή**. Ήταν τόσο μεγάλη! Δεν μπορούσα να το πιστέψω. Είδα μια κούνια στη γωνία και μια τσουλήθρα. Είδα επίσης ένα δίχτυ μπάσκετ και ένα **τραμπολίνο**. Ήμουν τόσο ενθουσιασμένη!

The House

I moved into my new house last week, and I am so **excited**! It is so much bigger than my old one, and it has a big backyard. I can't wait to have friends over for BBQs and parties. My **favourite** part is my new bedroom. It is so big and bright, and I have lots of space to put all of my things. I am really happy with my new house and I think I will be very happy here. I decided to explore the house a bit more. I went upstairs to the second floor and started making my way to the kitchen when I saw a big black spider on the wall! I screamed and ran downstairs. I was so **scared**! But after a few minutes, I calmed down and decided to go back upstairs. I slowly made my way to the kitchen and saw that the spider was gone. I was so relieved! I went back downstairs and decided to go outside to explore the **backyard**. It was so big! I couldn't believe it. I saw a swing set in the corner and a slide. I also saw a basketball net and a **trampoline**. I was so excited!

Ανυπομονώ να χρησιμοποιήσω όλα αυτά τα νέα πράγματα. Οι **γείτονες** ήρθαν και συστήθηκαν. Φάνηκαν πολύ καλοί και μιλήσαμε για λίγο. Με προσκάλεσαν στο μπάρμπεκιου τους το επόμενο Σαββατοκύριακο και είπα ότι θα ήθελα πολύ να έρθω. Πέρασα μια υπέροχη πρώτη εβδομάδα στο νέο μου σπίτι και είμαι ενθουσιασμένη για όλες τις νέες περιπέτειες που έρχονται. Σήμερα, θα πάω να εξερευνήσω ξανά την πίσω αυλή και να δω τι άλλο μπορώ να βρω. Ποιος ξέρει, ίσως βρω και κάποιο **θησαυρό**. Ανυπομονώ να δω τι θα φέρει η επόμενη εβδομάδα! Την επόμενη εβδομάδα, πήγα πάλι για εξερεύνηση στην πίσω αυλή και βρήκα έναν **μυστικό** κήπο. Ήταν τόσο όμορφος! Υπήρχαν παντού λουλούδια και μια μικρή λιμνούλα με ψάρια. Είδα επίσης μια κούνια που δεν είχα ξαναδεί. Ήμουν τόσο ενθουσιασμένη που βρήκα αυτόν τον μυστικό κήπο και ανυπομονώ να τον εξερευνήσω περισσότερο. Ήταν τόσο **όμορφος**!

I can't wait to use all of this new stuff. The **neighbours** came over and introduced themselves. They seemed really nice, and we talked for a while. They invited me to their BBQ next weekend, and I said I would love to come. I had a great first week in my new house, and I am excited about all of the new adventures that are ahead. Today, I am going to go exploring in the backyard again and see what else I can find. Who knows, maybe I'll even find some **treasure**. I can't wait to see what the next week brings! The next week, I went exploring in the backyard again, and I found a **secret** garden. It was so beautiful! There were flowers everywhere and a little pond with fish in it. I also saw a swing set that I hadn't seen before. I was so excited to find this secret garden, and I can't wait to explore it more. It was so **beautiful**!

Υπήρχαν παντού λουλούδια και μια μικρή λιμνούλα με ψάρια. Είδα επίσης μια κούνια που δεν είχα ξαναδεί. Ήμουν τόσο ενθουσιασμένη που βρήκα αυτόν τον μυστικό κήπο και ανυπομονώ να τον εξερευνήσω περισσότερο. Μου άρεσε επίσης το νέο μου δωμάτιο. Ήταν τόσο μεγάλο και φωτεινό, και υπήρχαν ήδη αφίσες των αγαπημένων μου συγκροτημάτων στους τοίχους. Δεν χρειάστηκε καν να φέρω δικά μου **έπιπλα,** επειδή υπήρχε ήδη ένα κρεβάτι, μια συρταριέρα και ένα γραφείο εδώ. Αυτή θα είναι η καλύτερη χρονιά όλων των εποχών! Είχα λίγο άγχος που θα ξεκινούσα σε ένα νέο **σχολείο, αλλά** όλοι οι νέοι μου γείτονες ήταν τόσο φιλικοί. Γνώρισα ακόμη και ένα κορίτσι που μένει δίπλα μου και λέει ότι θα έρθει μαζί μου στο σχολείο με τα πόδια την πρώτη μέρα. Λατρεύω το νέο μου σπίτι και είμαι τόσο ενθουσιασμένη που ξεκινάω αυτό το νέο κεφάλαιο στη ζωή μου! Η αυριανή μέρα θα είναι υπέροχη! Αναρωτιέμαι τι περιπέτειες θα έχουμε μπροστά μας. Όλα τα πράγματά μου έχουν ξεπακεταριστεί και είμαι έτοιμη για ύπνο. Ανυπομονώ να δω τι θα φέρει η **αυριανή μέρα!**

There were flowers everywhere and a little pond with fish in it. I also saw a **swing** set that I hadn't seen before. I was so excited to find this secret garden, and I can't wait to explore it more. I also loved my new room. It was so big and bright, and there were already posters of my favourite bands on the walls. I didn't even have to bring any of my own **furniture** because there was already a bed, dresser, and desk here. This is going to be the best year ever! I was a little nervous about starting at a new **school**, but all of my new neighbours have been so friendly. I even met a girl who lives next door, and she says that she'll walk to school with me on my first day. I love my new house, and I'm so excited to start this new chapter in my life! Tomorrow is going to be great! I wonder what adventures lie ahead. All of my belongings have been unpacked, and I'm ready for bed. I can't wait to see what **tomorrow** brings!

ερωτήσεις κατανόησης

1. Πού ζει το άτομο;

2. Πώς του αρέσει στο νέο σπίτι;

3. Ποιο είναι το αγαπημένο μέρος του ατόμου στο νέο σπίτι;

4. Τι βρήκε το άτομο στον κήπο;

5. Ποιοι είναι οι γείτονες;

6. Πώς αισθάνθηκε το άτομο τις πρώτες ημέρες στο νέο σπίτι;

7. Ποιο είναι το αγαπημένο σημείο του ατόμου στο νέο δωμάτιο;

8. Τι σκοπεύει να κάνει το άτομο αύριο;

9. Ποιο ήταν το καλύτερο μέρος της πρώτης εβδομάδας του ατόμου στο νέο σπίτι;

10. Ποια είναι τα πάντα στο νέο δωμάτιο του ατόμου;

Comprehension Questions

1. Where does the person live?

2. How does the person like it in the new house?

3. What is the person's favorite part of the new house?

4. What did the person find in the garden?

5. Who are the neighbors?

6. How did the person's first days in the new house feel?

7. What is the person's favorite part of the new room?

8. What is the person planning to do tomorrow?

9. What was the best part of the person's first week in the new house?

10. What is everything in the person's new room?

Στο τρένο

Έτρεξα στο σταθμό του τρένου, αλλά άργησα πολύ.
Το τρένο είχε ήδη φύγει χωρίς εμένα. Ένιωσα τόσο
θυμωμένη και **απογοητευμένη** με τον εαυτό μου.
Σχεδίαζα να πάρω το τρένο για να επισκεφτώ τους
παππούδες μου που ζουν στην εξοχή, αλλά τώρα
θα έπρεπε να περιμένω μια ολόκληρη ώρα για το
επόμενο τρένο. Αποφάσισα αντ' αυτού να περπατήσω
για λίγο στην πόλη και προσπάθησα να ξεχάσω τη
χαμένη μου ευκαιρία. Καθώς περπατούσα, άρχισα να
ονειρεύομαι όλα τα μέρη που μπορούν να σε πάνε τα
τρένα. Ξαφνικά, δεν ήμουν πια τόσο αναστατωμένη.
Επιστρέφω στο σταθμό και δεν μπορώ παρά να
παρατηρήσω τη μεγάλη κόκκινη, άσπρη και μπλε
ατμομηχανή που έτρεχε προς το μέρος μου. Μόνο
όταν βλέπω τον **εισπράκτορα να** με χαιρετάει από το
παράθυρο, συνειδητοποιώ ότι αυτό το τρένο είναι για
μένα. Επιβιβάζομαι στο τρένο και βρίσκω τη θέση μου,
βολευόμενος σε αυτό που υπόσχεται να είναι ένα μακρύ
ταξίδι.

On the train

I ran to the train station, but I was too late. The train had already left without me. I felt so **angry** and **disappointed** with myself. I had been planning to take the train to visit my grandparents who live in the country, but now I would have to wait a whole hour for the next train. I decided to walk around the city for a while instead and tried to forget about my missed opportunity. As I walked, I started **daydreaming** about all of the places that **trains** can take you. Suddenly, I wasn't so upset anymore. I head back into the station and can't help but to notice the large red, white, and blue locomotive chugging its way towards me. It's not until I see the **conductor** waving at me from the window that I realise that this train is for me. I board the train and find my seat, settling in for what promises to be a long journey.

Καθώς βγαίνουμε από το σταθμό, δεν μπορώ παρά να αναρωτηθώ πού θα με πάει αυτό το τρένο. Μέσα από πράσινα **χωράφια** και πάνω από γαλάζια ποτάμια, πέρα από βουνά και κοιλάδες, δεν ξέρω πού θα πάει αυτό το παλιό τρένο. Καθώς η νύχτα αρχίζει να πέφτει, πέφτω σε έναν **ήρεμο** ύπνο, νανουρισμένος από τη **ρυθμική** κίνηση των βαγονιών στις γραμμές από κάτω. Όταν ξημερώνει ξανά, ανοίγω τα μάτια μου και διαπιστώνω ότι έχουμε φτάσει σε μια μικρή πόλη κάπου στη μέση του πουθενά. Ο ήλιος μόλις ξεπροβάλλει από τον ορίζοντα, καθώς οι ντόπιοι αρχίζουν να κυκλοφορούν στην κεντρική οδό- μοιάζει με οποιαδήποτε άλλη μέρα εδώ, εκτός από ένα πράγμα - υπάρχει μια μεγάλη πινακίδα κοντά στο δημαρχείο που γράφει "Καλώς ήρθατε στο πλοίο!". Φαίνεται ότι αυτή η μικρή πόλη μας περίμενε, παρόλο που είμαστε απλώς ένα συνηθισμένο **επιβατικό** τρένο που περνάει από εδώ στο δρόμο του για αλλού. Καθώς αφήνουμε την πόλη πίσω μας για άλλη μια φορά, τρέχοντας προς ποιος ξέρει πού θα πάμε, χαμογελάω με όλα τα φιλικά πρόσωπα που μας χαιρετούν από αυτά τα μικρά σπίτια που βρίσκονται ανάμεσα σε **αγροτικές εκτάσεις -** είναι πραγματικά εκπληκτικό πώς κάτι τόσο φαινομενικά συνηθισμένο μπορεί να φέρει τόση χαρά απλά και μόνο περνώντας από εδώ. Και μετά, φυσικά, υπάρχουν και τα **παιδιά**.

As we pull out of the station, I can't help but wonder where this train will take me. Through **fields** of green and over rivers blue, past mountains and valleys too, there's no telling where this old train will go. As night begins to fall, I drift off into a **peaceful** sleep, lulled by the **rhythmic** movement of the cars on the tracks below. When morning comes again, I open my eyes to find that we've arrived in a small town somewhere in the middle of nowhere. The sun is just peeking over the horizon as locals start milling about on Main Street; it looks like any other day here except for one thing-there's a big sign posted near City Hall that reads "Welcome aboard!" It seems this little town has been expecting us, even though we're just an ordinary **passenger** train passing through on our way elsewhere. As we leave town behind us once more, chugging along towards who knows where next, I smile at all the friendly faces waving goodbye from those little houses nestled amongst **farmland**—it really is amazing how something so seemingly ordinary can bring so much joy simply by passing through. And then, of course, there are the **children**.

Σκύβω έξω από το παράθυρο της ατμομηχανής μου. Πάντα με κάνουν να νιώθω τόσο ευτυχισμένη με τα λαμπερά τους μάτια και τα μεγάλα τους χαμόγελα. Τους χαιρετάω δυναμικά πριν επιστρέψω στην **καμπίνα μου** και καθίσω. Ήταν ήδη μια μεγάλη μέρα, αλλά δεν έχει τελειώσει ακόμα- απομένουν ακόμα μερικές ώρες μέχρι να φτάσουμε στον τελικό μας **προορισμό**. Βγάζω το βιβλίο μου και αρχίζω να διαβάζω, αφήνοντας το ρυθμικό κούνημα του τρένου να με νανουρίσει σε μια γαλήνια κατάσταση. Κάθε τόσο ρίχνω μια ματιά στο τοπίο που περνάει από έξω - δεν βαριέται ποτέ, όσες φορές κι αν το δω. Τελικά, η νύχτα αρχίζει να πέφτει και τα **λαμπερά** φώτα αρχίζουν να εμφανίζονται στο βάθος- πλησιάζουμε τώρα. Σύντομα, μπαίνουμε στο σταθμό και σταματάμε. Καθώς οι επιβάτες αρχίζουν να αποβιβάζονται, δεν μπορώ παρά να **σκεφτώ** ότι τα τρένα ήταν πάντα ένα τόσο σημαντικό κομμάτι της ζωής μου. Με έχουν πάει σε τόσες πολλές περιπέτειες, πραγματικές και **φανταστικές,** και γι' αυτό θα είμαι για πάντα ευγνώμων.

I lean out the window of my locomotive. They always make me feel so happy with their shining eyes and big grins. I waved back at them energetically before returning to my **cabin** and taking a seat. It's been a long day already, but it's not over yet; there's still another few hours until we reach our final **destination**. I pull out my book and start reading, letting the rhythmic rocking of the train lull me into a peaceful state. Every now and then I glance up at the scenery passing by outside— it never gets old no matter how many times I see it. Eventually, night starts to fall and **twinkling** lights start to appear in the distance; we're getting close now. Soon enough, we're pulling into the station and coming to a stop. As passengers start disembarking, I can't help but **reflect** on how trains have always been such an important part of my life. They've taken me on so many adventures, both real and **imaginary**, and for that I will be forever grateful.

ερωτήσεις κατανόησης

1. Πού πηγαίνει το τρένο;

2. Ποιος ταξιδεύει με το τρένο;

3. Πότε φεύγει το τρένο;

4. Πώς επιβιβάζεται ο πρωταγωνιστής στο τρένο;

5. Από πού έρχεται το τρένο;

6. Πού πηγαίνει το τρένο μετά;

7. Πότε έφτασαν οι επιβάτες;

8. Πώς αισθάνεται ο πρωταγωνιστής όταν χάνει το τρένο;

9. Πώς αντιδρά ο οδηγός του τρένου όταν βλέπει τον πρωταγωνιστή;

10. Γιατί στον πρωταγωνιστή αρέσουν τα τρένα;

Comprehension Questions

1. Where is the train going?

2. Who is traveling on the train?

3. When does the train leave?

4. How does the protagonist get on the train?

5. Where does the train come from?

6. Where is the train going next?

7. When did the passengers arrive?

8. How does the protagonist feel when he misses the train?

9. How does the train driver react when he sees the protagonist?

10. Why does the protagonist like trains?

Μαγείρεμα δείπνο

Είναι 5 το απόγευμα και γυρίζω με τα πόδια από τη δουλειά. **Ανυπομονώ** να περάσω ένα ήρεμο βράδυ στο σπίτι με τον σύντροφό μου. Θα μαγειρέψουμε μαζί δείπνο και μετά θα χαλαρώσουμε για το υπόλοιπο της νύχτας. Νιώθω καλά που ξέρω ότι δεν έχω σχέδια ή υποχρεώσεις αυτό το **βράδυ**. Φτάνω στο σπίτι και ο σύντροφός μου είναι ήδη στην κουζίνα, αρχίζοντας να ετοιμάζει το δείπνο μας. Μυρίζει **καταπληκτικά** εδώ μέσα! Συζητάμε καθώς μαγειρεύουμε, ενημερώνοντας ο ένας τον άλλον για τις μέρες του και μοιραζόμαστε μικρές ιστορίες από τη ζωή μας στη δουλειά. Η κουζίνα είναι το αγαπημένο μου δωμάτιο στο διαμέρισμά μας. Λατρεύω να μαγειρεύω και ιδιαίτερα λατρεύω να μαγειρεύω με τον σύντροφό μου. Πάντα περνάμε τόσο καλά εδώ μέσα, γελώντας και αστειευόμενοι ενώ μαγειρεύουμε σαν καταιγίδα. Επιπλέον, το φαγητό είναι πάντα **απίστευτο** όταν δουλεύουμε **μαζί**.

Cooking Dinner

It's 5 pm now and I am walking home from work. I'm looking **forward** to having a calm evening at home with my partner. We'll cook dinner together and then just relax for the rest of the night. It feels good to know that I don't have any plans or obligations this **evening**. I arrive home and my partner is already in the kitchen, starting to prepare our dinner. It smells **amazing** in here! We chat as we cook, catching up on each other's days and sharing little stories from our work lives. The kitchen is my favourite room in our apartment. I love cooking, and I especially love cooking with my partner. We always have such a good time in here, laughing and joking around while we cook up a storm. Plus, the food is always **incredible** when we work **together**.

Απόψε, θα φτιάξουμε μια από τις αγαπημένες μου συνταγές: **κοτόπουλο** παρμεζάνα. Ο σύντροφός μου ξεκινάει παναρίθοντας το κοτόπουλο, ενώ εγώ βάζω τη σάλτσα να σιγοβράζει στη **φωτιά**. Δουλεύουμε μαζί σαν μια καλολαδωμένη μηχανή, και σε λίγο το δείπνο είναι έτοιμο για σερβίρισμα. Καθόμαστε στο μικρό τραπέζι της κουζίνας μας με τα **πιάτα** γεμάτα με κοτόπουλο παρμεζάνα, ζυμαρικά και σαλάτα. Τσουγκρίζουμε τα ποτήρια και παίρνουμε την πρώτη μας μπουκιά - και είναι **παραδεισένιο**! Το κοτόπουλο είναι τραγανό απ' έξω αλλά ζουμερό από μέσα, η σάλτσα είναι γευστική και τέλεια, τα ζυμαρικά είναι μαγειρεμένα al dente... όλα έχουν απολύτως τέλεια γεύση απόψε. Ξέρουμε και οι δύο ότι αυτή ήταν μια από εκείνες τις βραδιές που όλα συνδυάστηκαν τέλεια, καθώς **απολαμβάνουμε** και την τελευταία μπουκιά του νόστιμου γεύματός μας. Η γεύση του ήταν ακόμα καλύτερη απ' ό,τι μύριζε - που ήταν πολύ καλή! Τελειώνουμε το γεύμα μας σχετικά γρήγορα, καθώς κανένας από τους δυο μας δεν πεινάει ιδιαίτερα σήμερα, αλλά παίρνουμε το χρόνο μας απολαμβάνοντας μερικά ακόμη **ποτήρια** κρασί, ενώ συζητάμε ελαφρά τη καρδία για το ένα και το άλλο θέμα. Μετά το δείπνο, καθαρίζουμε γρήγορα μαζί και στη συνέχεια μεταφερόμαστε στο σαλόνι, όπου περνάμε λίγη ώρα **αγκαλιά** στον καναπέ βλέποντας τηλεόραση.

Tonight, we're making one of my all-time favourite recipes: **chicken** Parmesan. My partner starts by breading the chicken while I get the sauce simmering on the **stovetop**. We work together like a well-oiled machine, and before long, dinner is ready to serve. We sit down at our little kitchen table with **plates** heaped high with chicken Parmesan, pasta, and salad. We clink glasses and take our first bite—and it's **heavenly**! The chicken is crispy on the outside but juicy on the inside; the sauce is flavorful and perfect; the pasta is cooked al dente... everything tastes absolutely perfect tonight. We both know that this was one of those nights where everything just came together perfectly as we **savour** every last bite of our delicious meal. It tasted even better than it smelled—which was pretty damn good! We finish our meal relatively quickly as neither of us is particularly hungry today, but we take our time enjoying a few more **glasses** of wine while chatting lightly about this and that topic. After dinner, we clean up quickly together and then move into the living room, where we spend some time **cuddling** on the couch while watching TV.

Είναι τόσο ωραίο να είμαστε κοντά ο ένας στον άλλον μετά από μια κουραστική μέρα **εργασίας**. Αισθάνομαι ικανοποιημένος. Παρόλο που δεν είχαμε μια περιπετειώδη βραδιά, ήταν ωραίο να περάσουμε λίγο χρόνο μαζί χωρίς να χρειαστεί να βγούμε από το σπίτι. Είδαμε μια ταινία και πέσαμε νωρίς για ύπνο, νιώθοντας **ικανοποιημένοι** με την απλή μας βραδιά. Αυτό έχει γίνει ένα από τα **αγαπημένα** μας πράγματα που κάνουμε τις νύχτες που δεν θέλουμε να βγούμε έξω - απλά χαλαρώνουμε στο σπίτι και απολαμβάνουμε ο ένας την παρέα του άλλου με ένα σπιτικό γεύμα. Είναι πάντα ωραίο να ξέρουμε ότι μπορούμε να επιστρέψουμε εδώ μετά από μια κουραστική μέρα και να είμαστε ο εαυτός μας. **Τελικά**, αρχίζουμε και οι δύο να χασμουριόμαστε, οπότε αποφασίζουμε να πάμε επάνω στο κρεβάτι, όπου διαβάζουμε για λίγο πριν αγκαλιαστούμε σφιχτά κάτω από τα σκεπάσματα και κοιμηθούμε βαθιά.

It feels so nice just being close to each other after a long day apart **working**. I feel content. Even though we didn't have an eventful evening, it was nice to just spend some time together without having to leave the house. We watched a movie and went to bed early, feeling **satIsfled** with our simple night in. This has become one of our **favourite** things to do on nights when we don't want to go out—just relax at home and enjoy each other's company over a home-cooked meal. It's always nice to know that we can come back here after a long day and just be ourselves. **Eventually**, we both start yawning, so we decide to head upstairs to bed, where we read for a bit before snuggling close under the covers and falling asleep soundly.

ερωτήσεις κατανόησης

1. Από πού προέρχεται ο αφηγητής;

2. Τι κάνει ο αφηγητής μετά τη δουλειά;

3. Τι τρώει ο αφηγητής για δείπνο;

4. Γιατί αρέσει στον αφηγητή η κουζίνα;

5. Τι είδους πιάτο μαγειρεύει το ζευγάρι;

6. Πώς αισθάνεται ο αφηγητής στο τέλος της βραδιάς;

7. Ποιο είναι το αγαπημένο πράγμα που κάνει το ζευγάρι;

8. Τι κάνει το ζευγάρι όταν κουράζεται;

9. Πού κοιμούνται;

10. Γιατί αρέσει στον αφηγητή να μένει στο σπίτι;

Comprehension Questions

1. Where does the narrator come from?

2. What does the narrator do after work?

3. What does the narrator eat for dinner?

4. Why does the narrator like the kitchen?

5. What kind of dish does the couple cook?

6. How does the narrator feel at the end of the evening?

7. What is the couple's favorite thing to do?

8. What do the couple do when they get tired?

9. Where do they sleep?

10. Why does the narrator like to stay at home?

Περπατώντας στο σπίτι

Ήταν μια **ήσυχη** νύχτα καθώς γύριζα σπίτι από τη δουλειά. Καθώς περπατούσα, δεν μπορούσα παρά να χαμογελάσω με τις αναμνήσεις. Ένιωθα όμορφα που επέστρεφα στην παλιά μου γειτονιά. Χαιρέτησα μερικούς ανθρώπους που γνώριζα και μου χαιρέτησαν κι εκείνοι. Ήταν ωραίο να βρίσκομαι στο σπίτι μου. Πέρασα από το παλιό μου σχολείο και **θυμήθηκα** όλες τις καλές στιγμές που πέρασα με τους φίλους μου. Περπατούσαμε πάντα μαζί στο σπίτι και μιλούσαμε για τη μέρα μας. **Μερικές φορές** σταματούσαμε για παγωτό ή πηγαίναμε στο πάρκο. Αυτές ήταν οι καλύτερες στιγμές. Μου λείπουν αυτές οι στιγμές. Αλλά τώρα έχω τη δική μου οικογένεια και είμαι ευτυχισμένη με τη ζωή μου. Χαίρομαι που μπορώ να αναπολώ αυτές τις αναμνήσεις και να χαμογελάω. Είναι ένα κομμάτι της ζωής μου που θα αγαπώ πάντα. Αυτές ήταν οι καλύτερες στιγμές. Μου λείπουν αυτές οι στιγμές. Αλλά τώρα έχω τη δική μου οικογένεια και είμαι ευτυχισμένη με τη ζωή μου. Χαίρομαι που μπορώ να αναπολώ αυτές τις **αναμνήσεις** και να χαμογελάω. Είναι ένα κομμάτι της ζωής μου που θα αγαπώ πάντα.

Walking Home

It was a **peaceful** night as I walked home from work.
As I walked, I couldn't help but smile at the memories.
It felt good to be back in my old neighborhood. I waved
to a few people I knew, and they waved back. It was
good to be home. I walked past my old school and
remembered all the good times I had with my friends.
We would always walk home together and talk about
our day. **Sometimes** we would stop and get ice cream
or go to the park. Those were the best times. I miss
those times. But now I have my own family and I'm
happy with my life. I'm glad I can look back on those
memories and smile. They are a part of my life that I will
always cherish. Those were the best times. I miss those
times. But now I have my own family and I'm happy with
my life. I'm glad I can look back on those **memories**
and smile. They are a part of my life that I will always
cherish.

Συνεχίζω να περπατάω, σκεπτόμενος τις καλές στιγμές που πέρασα με τους φίλους μου. Ξέρω ότι θα τους ξαναδώ σύντομα. Κατευθύνομαι προς το σπίτι μου και αποφασίζω να περπατήσω σε ένα κοντινό πάρκο. Ο ήλιος δύει και ο ουρανός έχει πάρει ένα **όμορφο** πορτοκαλί χρώμα. Το πάρκο είναι άδειο, εκτός από μερικά πουλιά που κελαηδούν στα δέντρα. Παίρνω μια βαθιά **ανάσα** και χαμογελάω. Καθώς περπατάω μέσα στο πάρκο, βλέπω ένα πεφταστέρι να διαγράφει τον ουρανό. Έκανα μια ευχή σε αυτό το αστέρι και συνέχισα να περπατάω. Σκέφτομαι τη μέρα μου στη δουλειά και πόσο **γαλήνια** ήταν. Χαμογελάω στον εαυτό μου, σκεπτόμενος πόσο τυχερή είμαι που έχω μια τόσο καλή δουλειά. Περπατάω στο σπίτι, **νιώθοντας** τον δροσερό νυχτερινό αέρα στο δέρμα μου. Νιώθω τόσο ζωντανή και ευτυχισμένη, απολαμβάνοντας την απλή πράξη του να περπατάω στο σπίτι μου μια ήσυχη νύχτα. Ένιωσα τόσο καλά, που άρχισα να **σφυρίζω**. Προσπέρασα μερικούς ανθρώπους στο δρόμο, αλλά όλοι κοιτούσαν τη δουλειά τους.

I keep walking, thinking about the good times I had with my friends. I know I'll see them again soon. I head towards my home and decide to walk through a park nearby. The sun is setting and the sky is turning a **beautiful** orange color. The park is empty, except for a few birds chirping in the trees. I take a deep **breath** and smile. As I walk through the park, I see a shooting star streak across the sky. I made a wish on that star, and kept walking. I think about my day at work and how **peaceful** it was. I smile to myself, thinking about how lucky I am to have such a great job. I walk home, **feeling** the cool night air on my skin. I feel so alive and happy, just enjoying the simple act of walking home on a peaceful night.

I felt so good, I started **whistling**. I walked past a few people on the street, but they were all minding their own business.

Γύρισα στη γωνία του δρόμου μου και είδα τη γάτα του γείτονά μου, τον κύριο Whiskers, να κάθεται στη βεράντα μου. Τον χαιρέτησα και μου νιαούρισε κι εκείνος. **Ξεκλείδωσα την** πόρτα μου και μπήκα μέσα. Ήμουν τόσο χαρούμενη που ήμουν σπίτι. Έβγαλα τα παπούτσια μου και ετοιμάστηκα για ύπνο. Πήγα για ύπνο εκείνο το βράδυ νιώθοντας ευτυχισμένη και ευγνώμων, με την καρδιά μου γεμάτη αγάπη. Κοιμήθηκα ήσυχα όλη τη νύχτα, χωρίς να ανησυχώ για τίποτα. Ξύπνησα από έναν ξεκούραστο ύπνο και με **υποδέχτηκε** ο ήλιος που έλαμπε μέσα από το παράθυρό μου. Σηκώθηκα από το κρεβάτι και τεντώθηκα, πήρα μια βαθιά ανάσα και ένιωσα τον δροσερό αέρα να γεμίζει τα πνευμόνια μου. Πήγα στο παράθυρό μου και κοίταξα έξω, ακούγοντας τα πουλιά να κελαηδούν και τους **σκίουρους να** παίζουν. Χαμογέλασα και πήγα να ντυθώ, νιώθοντας ευτυχισμένη και ικανοποιημένη. Πέρασα μια υπέροχη μέρα, περνώντας χρόνο με τους **φίλους** και την οικογένειά μου. Γέλασα και αστειεύτηκα και απλά **διασκέδασα**.

I turned the corner onto my street and saw my neighbor's cat, Mr. Whiskers, sitting on my porch. I said hello to him and he meowed back. I **unlocked** my door and went inside. I was so happy to be home. I took off my shoes and got ready for bed. I went to bed that night feeling happy and grateful, my heart full of love. I slept soundly through the night, not worrying about anything. I woke up from a restful sleep and was **greeted** by the sun shining in through my window. I got out of bed and stretched, taking a deep breath and feeling the cool air fill my lungs. I walked to my window and looked out, hearing the birds chirping and the **squirrels** playing. I smiled and went to get dressed, feeling happy and content. I had a great day, spending time with my **friends** and family. I laughed and joked and just **enjoyed** myself.

ερωτήσεις κατανόησης

1. Τι έκανε ο πρωταγωνιστής όταν ξεκίνησε η ιστορία;

2. Τι σκέφτηκε ο πρωταγωνιστής όταν περπατούσε στο σπίτι του;

3. Τι συνήθιζε να κάνει ο πρωταγωνιστής με τους φίλους του μετά το σχολείο;

4. Τι λείπει στον πρωταγωνιστή από εκείνες τις εποχές;

5. Τι σκέφτεται ο πρωταγωνιστής για την τρέχουσα ζωή του;

6. Τι κάνει ο πρωταγωνιστής όταν βλέπει ένα πεφταστέρι;

7. Πώς αισθάνεται ο πρωταγωνιστής όταν περπατάει στο σπίτι του;

8. Τι κάνει ο πρωταγωνιστής όταν επιστρέφει στο σπίτι;

9. Πώς αισθάνεται ο πρωταγωνιστής όταν ξυπνάει το επόμενο πρωί;

Comprehension Questions

1. What was the protagonist doing when the story started?

2. What did the protagonist think about when walking home?

3. What did the protagonist used to do with friends after school?

4. What does the protagonist miss about those times?

5. What does the protagonist think about their current life?

6. What does the protagonist do when they see a shooting star?

7. How does the protagonist feel when they walk home?

8. What does the protagonist do when they get home?

9. How does the protagonist feel when they wake up the next morning?

Το κάστρο

Η οικογένεια ήθελε πάντα να επισκεφθεί ένα παλιό
κάστρο στη **Γερμανία** και τελικά πραγματοποίησαν
το ταξίδι. Δεν **απογοητεύτηκαν**. Το κάστρο ήταν
πανέμορφο και τους άρεσε να εξερευνούν τα πολλά
δωμάτια και τους διαδρόμους του. Το πρώτο πράγμα
που τους έκανε εντύπωση ήταν η μυρωδιά. Βρήκαν
μούχλα, υγρασία και κάτι άλλο που δεν μπορούσαν
να προσδιορίσουν. Το δεύτερο πράγμα ήταν ο ήχος.
Οι πέτρινοι τοίχοι είναι χοντροί, αλλά δεν αποσβένουν
εντελώς τον ήχο. Άκουσαν κάθε βήμα, κάθε λέξη που
ειπώθηκε με κανονική φωνή και το περιστασιακό
στάξιμο νερού **κάπου στο** βάθος. Καθώς τα μάτια τους
προσαρμόστηκαν στο αμυδρό φως, είδαν ογκώδεις
πέτρινους τοίχους να ξεπροβάλλουν γύρω τους, με
ταπισερί να κρέμονται από αυτούς σε **σκισμένα**
κομμάτια. Στεκόντουσαν σε μια τεράστια αίθουσα με
ψηλή οροφή που υποστηριζόταν από σκαλιστούς
κίονες. Τους άρεσε επίσης η θέα από τους πυργίσκους,
και τα παιδιά πέρασαν υπέροχα τρέχοντας στους
χώρους. Ο **ήλιος** είχε αρχίσει να δύει όταν τελείωσαν
την εξερεύνηση του κάστρου και μετάνιωσαν που
δεν είχαν φέρει **φακό**. Αποφάσισαν να επιστρέψουν
στην είσοδο, αλλά σύντομα βρέθηκαν χαμένοι.
Περιπλανήθηκαν για ώρες, ώσπου τελικά βρήκαν
μια πόρτα που οδηγούσε έξω. Συνέχισαν μέχρι που

The Castle

The family had always wanted to visit an old castle in **Germany**, and finally they took the trip. They were not **disappointed**. The castle was beautiful, and they enjoyed exploring its many rooms and corridors. The first thing that hit them was the smell. They found **mould**, dampness, and something else they couldn't quite put their finger on. The second thing was the sound. Stone walls are thick, but they don't deaden sound completely. They heard every footstep, every word spoken in a normal voice, and the occasional drip of water **somewhere** in the distance. As their eyes adjusted to the dim light, they saw massive stone walls looming all around them, tapestries hanging from them in **tattered** shreds. They were standing in a huge hall with a high ceiling supported by carved pillars. They also loved the views from the turrets, and the kids had a great time running around the grounds. The **sun** had begun to set by the time they finished exploring the castle, and they regretted that they hadn't brought a **flashlight**. They decided to make their way back to the entrance, but soon found themselves lost. They wandered around for what felt like hours, until finally they came across a door that led outside. They continued until they **reached** the end of the hall and came to an imposing set of double doors. Try as they

έφτασαν στο τέλος του διαδρόμου και έφτασαν σε μια επιβλητική διπλή πόρτα. Όσο κι αν προσπαθούσαν, οι πόρτες δεν μετακινούνταν. Χτυπούσαν **απειλητικά**, αλλά δεν κουνιόντουσαν ούτε εκατοστό. Φαινόταν ότι όποιος ήταν εδώ πριν, πρέπει να πέρασε από εδώ και να τις κλείδωσε από μέσα. Τελικά, βρίσκουν μια διέξοδο. Η ανακούφιση τους κατέκλυσε καθώς βγήκαν στον δροσερό νυχτερινό αέρα.

Ο ήλιος είχε αρχίσει να δύει και **μετάνιωσαν** που δεν είχαν φέρει φακό. Αποφάσισαν να επιστρέψουν στην είσοδο, αλλά σύντομα βρέθηκαν χαμένοι. Περιπλανήθηκαν για ώρες, ώσπου τελικά βρήκαν μια πόρτα που οδηγούσε **έξω**. Η ανακούφιση τους κατέκλυσε καθώς βγήκαν στον δροσερό νυχτερινό αέρα. Το επόμενο βράδυ, φρόντισαν να πάρουν μαζί τους έναν φακό καθώς εξερευνούσαν το υπόλοιπο κάστρο. Περπάτησαν μέσα από την **αυλή** και κατέβηκαν στο ποτάμι που έτρεχε πίσω από τα τείχη του **κάστρου.** Καθώς περπατούσαν τριγύρω, άρχισαν να ακούν παράξενους θορύβους. Ακουγόταν σαν κάποιος να τους ακολουθούσε. Επιτάχυναν το βηματισμό τους, αλλά οι θόρυβοι γίνονταν όλο και πιο δυνατοί και πλησίαζαν. Η οικογένεια έτρεξε πίσω στο κάστρο όσο πιο γρήγορα μπορούσε, και ανακουφίστηκαν όταν είδαν ότι η φιγούρα με τον **σκοτεινό** μανδύα δεν τους είχε ακολουθήσει.

might, the doors wouldn't budge. They rattle **ominously** but don't move an inch. It looked like whoever was here before must have gone through here and locked them from inside. Eventually, they find a way out. Relief washed over them as they stepped out into the cool night air.

The sun had begun to set, and they **regretted** that they hadn't brought a flashlight. They decided to make their way back to the entrance, but soon found themselves lost. They wandered around for what felt like hours, until finally they came across a door that led **outside**. Relief washed over them as they stepped out into the cool night air. The next evening, they made sure to take a flashlight with them as they explored the rest of the castle. They walked through the **courtyard** and down to the river that ran behind the **castle** walls. As they walked around, they began to hear strange noises. It sounded like someone was following them. They quickened their pace, but the noises got louder and closer. The family ran back to the castle as fast as they could, and they were relieved to see that the figure in the **dark** cloak had not followed them.

Γύρισαν στο δωμάτιό τους και προσπάθησαν να ξεχάσουν αυτό που είχε συμβεί, αλλά δεν μπορούσαν να απαλλαγούν από την αίσθηση ότι κάτι τους παρακολουθούσε από τις σκιές. Μόλις μπήκαν μέσα, **οχύρωσαν τις** πόρτες και τα παράθυρα και κάλεσαν την αστυνομία. Ήταν μια μακρά νύχτα, αλλά τελικά η αστυνομία έφτασε και συνέλαβε τη φιγούρα. Αργότερα ανακάλυψαν ότι επρόκειτο απλώς για έναν ντόπιο άνδρα που ήταν γνωστό ότι μεταμφιέζεται και τρομάζει τους ανθρώπους. Το έκανε για χρόνια και ήταν απλώς μια **ακίνδυνη** φάρσα. Ωστόσο, αυτή τη φορά το παράκανε και τρόμαξε λάθος ανθρώπους. Η αστυνομία τον συνέλαβε και του απήγγειλε κατηγορίες για καταπάτηση και διατάραξη της ειρήνης. Ο άνδρας **καταδικάστηκε** σε κοινωνική εργασία και διατάχθηκε να μείνει μακριά από τη γειτονιά όπου είχε τρομάξει τους ανθρώπους. Συμμορφώθηκε με τη διαταγή και σταμάτησε να ντύνεται και να **τρομάζει** τον κόσμο. Η οικογένεια **ανακουφίστηκε** που επρόκειτο απλώς για έναν ντόπιο άνδρα και όχι για φάντασμα ή τέρας. Ευχαρίστησαν την αστυνομία για τη βοήθειά της και επέστρεψαν στο δωμάτιο του ξενοδοχείου τους.

They went back to their room and tried to forget about what had happened, but they could not shake the feeling that something was watching them from the shadows. Once they were inside, they **barricaded** the doors and windows and called the police. It was a long night, but eventually the police arrived and apprehended the figure. They later found out that it was just a local man who was known to dress up and scare people. He had been doing it for years, and it was just a **harmless** prank. However, this time he had gone too far and scared the wrong people. The police arrested him and charged him with trespassing and disturbing the peace. The man was **sentenced** to community service and was ordered to stay away from the neighbourhood where he had scared the people. He complied with the order and stopped dressing up and **scaring** people. The family was **relieved** that it was just a local man and not a ghost or monster. They thanked the police for their help and went back to their hotel room.

ερωτήσεις κατανόησης

1. Τι έκανε η οικογένεια όταν χάθηκε στο κάστρο;

2. Πώς αισθάνθηκε η οικογένεια όταν έμαθε ότι επρόκειτο για έναν ντόπιο;

3. Τι έκανε ο άνδρας και συνελήφθη;

4. Ποια ήταν η ποινή για τον άνδρα;

5. Τι θόρυβο άκουσε η οικογένεια ενώ περπατούσε;

6. Πού βρισκόταν η φιγούρα με τον σκοτεινό μανδύα όταν τον είδε η οικογένεια;

7. Τι έκανε η οικογένεια όταν επέστρεψε στο δωμάτιό της;

8. Πότε η οικογένεια πήγε να εξερευνήσει ξανά το κάστρο;

9. Τι ήταν αυτό που η οικογένεια δεν μπορούσε να προσδιορίσει;

Comprehension Questions

1. What did the family do when they got lost in the castle?

2. How did the family feel when they found out it was just a local man?

3. What did the man do that got him arrested?

4. What was the sentence for the man?

5. What noise did the family hear while they were walking?

6. Where was the figure in the dark cloak when the family saw him?

7. What did the family do when they got back to their room?

8. When did the family go explore the castle again?

9. What was the thing that the family couldn't put their finger on?

Ο κήπος μου

Ο κήπος μου είναι το ευτυχισμένο μου μέρος. Βγαίνω εκεί έξω κάθε μέρα, είτε βρέχει είτε βρέχει, και περνάω χρόνο φροντίζοντας τα φυτά μου. Έχω λίγο απ' **όλα - λαχανικά**, φρούτα, λουλούδια, βότανα. Έχω ακόμη και μερικές κότες που βοηθούν να κρατήσω τα παράσιτα μακριά. Ξεκινάω τις μέρες μου στον κήπο μαζεύοντας αυγά από τις κότες. Στη συνέχεια ελέγχω τα λαχανικά μου, φροντίζοντας να έχουν αρκετό νερό και ήλιο. Ξεχορταριάζω τα παρτέρια και απομακρύνω τυχόν ζωύφια που μπορεί να **προσβάλλουν** τα φυτά. Μόλις **τακτοποιηθούν όλα**, κάθομαι και απολαμβάνω την ηρεμία και την ησυχία της φύσης.

My Garden

My garden is my happy place. I go out there every day, rain or shine, and spend time tending to my plants. I have a little bit of **everything**-vegetables, fruits, flowers, herbs. I even have a few chickens that help keep the pests at bay. I start my days in the garden by gathering eggs from the chickens. Then I check on my veggies, making sure they are getting enough water and sun. I weed the beds and pick off any bugs that might be **attacking** the plants. Once **everything** is taken care of, I sit back and enjoy the peace and quiet of nature.

Πάντα μου άρεσε να περνάω χρόνο στον κήπο μου. Υπάρχει κάτι στο να είσαι περιτριγυρισμένος από τη φύση και όλη την **ομορφιά** που έχει να σου προσφέρει. Θεωρώ ότι είναι ένα πολύ γαλήνιο και ηρεμιστικό μέρος. Συχνά περνάω χρόνο στον κήπο μου χαλαρώνοντας και απολαμβάνοντας το τοπίο. Μου αρέσει επίσης να εργάζομαι στον κήπο μου και να καλλιεργώ πράγματα. Έχω έναν αρκετά μεγάλο κήπο και μου αρέσει να καλλιεργώ **διάφορα πράγματα** σε αυτόν. Καλλιεργώ λουλούδια, **λαχανικά** και βότανα. Έχω επίσης μερικά οπωροφόρα δέντρα που παράγουν νόστιμα μήλα, αχλάδια και δαμάσκηνα. Εκτός από την καλλιέργεια, μου αρέσει επίσης να περνάω χρόνο περπατώντας στον κήπο μου, **θαυμάζοντας** όλα τα διαφορετικά φυτά και ζώα που τον αποκαλούν σπίτι τους. Έχω ξοδέψει πολλές ώρες όλα αυτά τα χρόνια δουλεύοντας για να μετατρέψω τον **κήπο μου σε** ένα μέρος που δεν είναι μόνο όμορφο αλλά και λειτουργικό. Λατρεύω να παρακολουθώ τα πουλιά που πετούν γύρω μου και να τα ακούω να τραγουδούν. Μερικές φορές μάλιστα βγάζω ένα βιβλίο και διαβάζω στον κήπο, ενώ περιβάλλομαι από όλη την ομορφιά που έχω δημιουργήσει. **Η κηπουρική** είναι το πάθος μου και μου προσφέρει τόση χαρά. Κάθε μέρα στον κήπο μου είναι μια καλή μέρα.

I have always loved spending time in my garden. There is something about being surrounded by nature and all of the **beauty** that it has to offer. I find it to be a very peaceful and calming place. I often spend time in my garden just relaxing and enjoying the scenery. I also enjoy working in my garden and growing things. I have a pretty good-sized garden, and I like to grow a variety of **different** things in it. I grow flowers, **vegetables**, and herbs. I also have a few fruit trees that produce some delicious apples, pears, and plums. In addition to growing things, I also enjoy spending time just walking around my garden, **admiring** all of the different plants and animals that call it home. I have spent many hours over the years working on making my **garden** into a place that is not only beautiful but also functional. I love to watch the birds flit around and listen to them sing. Sometimes I even bring out a book and read in the garden while surrounded by all the beauty that I've created. **Gardening** is my passion and it brings me so much joy. Every day in my garden is a good day.

Ένα από τα πράγματα που μου αρέσει να κάνω είναι να μαγειρεύω, οπότε το να έχω έναν καλά εφοδιασμένο κήπο με βότανα είναι πολύ **σημαντικό** για μένα. Το θυμάρι, ο βασιλικός, η ρίγανη, το δεντρολίβανο, το φασκόμηλο και η λεβάντα είναι μερικά μόνο από τα βότανα που μου αρέσει να καλλιεργώ στον κήπο μου, ώστε να μπορώ να τα χρησιμοποιώ όταν μαγειρεύω για τον εαυτό μου ή για **τους καλεσμένους μου**. Ένα άλλο πράγμα που είναι σημαντικό για μένα όταν πρόκειται για τον κήπο μου είναι να διασφαλίσω ότι υπάρχει άφθονο χρώμα σε όλο τον κήπο μου. Για να επιτύχω αυτόν τον στόχο, καλλιεργώ μια μεγάλη ποικιλία λουλουδιών, όπως **τριαντάφυλλα**, κρίνα, μαργαρίτες, τουλίπες, impatiens, κατιφέδες κ.λπ. Εκτός από την προσθήκη χρώματος με τα λουλούδια, μου αρέσει επίσης να προσθέτω ενδιαφέρον χρησιμοποιώντας διαφορετικές **υφές** σε όλο τον κήπο. Για παράδειγμα, θα μπορούσα να φυτέψω φτέρες κάτω από πανύψηλα ηλιοτρόπια ή χόστες **δίπλα σε** ακανθώδη διακοσμητικά χόρτα. Ανεξάρτητα από το τι άλλο συμβαίνει στη ζωή, η εργασία στον κήπο μου με βοηθά πάντα να νιώθω πιο συνδεδεμένη με τη φύση και πιο ήρεμη με τον εαυτό μου.

One of the things that I love to do is cook, so having a well-stocked herb garden is very **important** to me. Thyme, basil, oregano, rosemary, sage, and lavender are just some of the herbs that I like to grow in my garden so that I can use them when cooking meals for myself or for **guests**. Another thing that is important to me when it comes to my garden is making sure that there is plenty of colour throughout it. To achieve this goal, I grow a wide variety of flowers, including **roses**, lilies, daisies, tulips, impatiens, marigolds, etc. In addition to adding colour with flowers, I also like to add interest by using different **textures** throughout the garden. For instance, I might plant ferns beneath towering sunflowers or hostas **alongside** spiky ornamental grasses. No matter what else might be going on in life, working in my garden always **manages** to help me feel more connected to nature and at peace with myself.

ερωτήσεις κατανόησης

1. Πού βρίσκεται ο κήπος του συγγραφέα;

2. Πόσες κότες έχει ο συγγραφέας;

3. Τι κάνει ο συγγραφέας στον κήπο κάθε μέρα;

4. Γιατί αρέσει στον συγγραφέα ο κήπος;

5. Ποια βότανα φυτεύει ο συγγραφέας στον κήπο;

6. Γιατί είναι σημαντικό για τον συγγραφέα να υπάρχουν πολλά χρώματα στον κήπο του;

7. Πώς ο συγγραφέας φέρνει ποικιλία στον κήπο του;

8. Πώς αισθάνεται ο συγγραφέας όταν εργάζεται στον κήπο του;

9. Τι κάνει τον συγγραφέα να αισθάνεται συνδεδεμένος όταν βρίσκεται στον κήπο του;

Comprehension Questions

1. Where is the author's garden?

2. How many chickens does the author have?

3. What does the author do in the garden every day?

4. Why does the author like the garden?

5. What herbs does the author plant in the garden?

6. Why is it important to the author that there are many colors in his garden?

7. How does the author bring variety to his garden?

8. How does the author feel when he works in his garden?

9. What makes the author feel connected when he is in his garden?

Πηγαίνοντας για ψώνια

Μου αρέσει να πηγαίνω για **ψώνια** στο εμπορικό κέντρο. Είναι πάντα πολύ διασκεδαστικό να περπατάς και να κοιτάς όλα τα διαφορετικά καταστήματα. Υπάρχει κάτι για όλους στο εμπορικό κέντρο, και είναι πάντα ένα εξαιρετικό μέρος για να βρεις προσφορές σε ρούχα, παπούτσια και αξεσουάρ. **Συνήθως** ξεκινάω το ταξίδι μου για ψώνια περπατώντας από την κεντρική **είσοδο** του εμπορικού κέντρου. Από εκεί, κατευθύνομαι πρώτα στα αγαπημένα μου καταστήματα. Αφού ρίξω μια ματιά σε αυτά τα καταστήματα, περπατάω τριγύρω και βλέπω αν υπάρχουν εκπτώσεις σε άλλα σημεία. Συνήθως καταλήγω να περνάω μερικές ώρες στο εμπορικό κέντρο πριν κάνω τελικά τις αγορές μου. Μου αρέσει πάντα να παίρνω το χρόνο μου όταν ψωνίζω, **γιατί** θέλω να είμαι σίγουρη ότι παίρνω **ακριβώς** αυτό που θέλω. Επιπλέον, είναι πιο διασκεδαστικό έτσι!

Going Shopping

I love going **shopping** in the mall. It's always so much fun to walk around and look at all the different stores. There's something for everyone in the mall, and it's always a great place to find deals on clothes, shoes, and accessories. I **usually** start my shopping trip by walking through the main **entrance** of the mall. From there, I head to my favourite stores first. After looking through those stores, I'll walk around and see if there are any sales going on at other places. I usually end up spending a couple hours in the mall before I finally make my purchases. I always like to take my time when shopping **because** I want to make sure that I'm getting **exactly** what I want. Plus, it's just more fun that way!

Το βρίσκω πάντα τόσο **συναρπαστικό** να παρατηρώ τον κόσμο όταν βρίσκομαι στο εμπορικό κέντρο. Μπορείς πραγματικά να καταλάβεις πολλά για έναν άνθρωπο από τον τρόπο που ψωνίζει. Μερικοί άνθρωποι είναι πολύ μεθοδικοί και παίρνουν το χρόνο τους, ενώ άλλοι φαίνεται να αρπάζουν **ό,τι** μπορούν και να κατευθύνονται στο ταμείο όσο πιο γρήγορα γίνεται. Υπάρχουν επίσης και εκείνοι οι αγοραστές που φαίνεται να ενδιαφέρονται περισσότερο να μιλούν στο κινητό τους ή να στέλνουν μηνύματα παρά να κοιτάζουν τα εμπορεύματα! Ανεξάρτητα από το είδος του αγοραστή που είστε, όμως, όλοι φαίνεται να απολαμβάνουν τις αγορές από τις βιτρίνες - ακόμη και αν δεν αγοράζουν τίποτα. Υπάρχει κάτι που με κάνει ευτυχισμένη όταν κοιτάζω όλα τα όμορφα πράγματα στις **βιτρίνες των** καταστημάτων. Μερικές φορές φαντάζομαι πώς θα ήταν αν μπορούσα να αγοράσω **όλα όσα** βλέπω! Εν κατακλείδι, το να περνάω μια μέρα για ψώνια στο εμπορικό κέντρο είναι μια από τις αγαπημένες μου ασχολίες. Είναι ένας πολύ καλός τρόπος για να χαλαρώσετε και να ξεκουραστείτε, ενώ παράλληλα γυμνάζεστε και λίγο (αν περπατάτε αρκετά). Επιπλέον, είναι **πάντα** ωραίο να κάνεις δώρο στον εαυτό σου ένα νέο πουκάμισο ή ένα ζευγάρι παπούτσια κάθε τόσο!

I always find it so **fascinating** to people watch while I'm at the mall. You can really tell a lot about a person by the way they shop. Some people are very methodical and take their time, while others just seem to grab **whatever** they can and head for the check-out as fast as possible. There are also those shoppers who seem more interested in talking on their cell phones or texting than actually looking at any of the merchandise! No matter what kind of shopper you are, though, everyone seems to enjoy window shopping—even if you don't actually buy anything. There's just something about looking at all of the pretty things in the store **windows** that makes me happy. Sometimes I fantasise about what it would be like if I could afford **everything** I see! All in all, spending a day shopping at the mall is one of my favourite pastimes. It's a great way to relax and unwind while also getting a little bit of exercise (if you walk around enough). Plus, it's **always** nice to treat yourself to a new shirt or pair of shoes every now and then!

Είχα μια **κουραστική** μέρα στη δουλειά και επιτέλους είχα λίγο χρόνο για τον εαυτό μου, οπότε αποφάσισα να πάω για ψώνια στο εμπορικό κέντρο. Χρειαζόμουν μερικά νέα ρούχα για την **επερχόμενη** σεζόν.
Μόλις μπήκα μέσα, είδα όλα τα λαμπερά φώτα και τις γυαλιστερές βιτρίνες των καταστημάτων. Κατευθύνθηκα πρώτα στο αγαπημένο μου κατάστημα και άρχισα να περιηγούμαι στα ράφια. Βρήκα μερικά χαριτωμένα μπλουζάκια και τα δοκίμασα στο δοκιμαστήριο. Καθώς κοιτούσα τον εαυτό μου στον καθρέφτη, άκουσα κάποιον να μπαίνει στο διπλανό δοκιμαστήριο. Αναγνώρισα τη φωνή του ως έναν από τους συναδέλφους μου. Είπαμε ένα γεια και αρχίσαμε να συζητάμε για τη δουλειά. Μετά από λίγα λεπτά, τελειώσαμε και οι δύο και πήραμε **το** δρόμο μας, αλλά αργότερα συναντηθήκαμε ξανά. Συνεχίσαμε να κουβεντιάζουμε και συνειδητοποιήσαμε ότι είχαμε περισσότερα κοινά απ' ό,τι νομίζαμε. Τελειώσαμε τα ποτά μας και στη συνέχεια πήγαμε στο σπίτι μας για το βράδυ, **εξαντλημένοι** από μια κουραστική μέρα αγορών, αλλά ευχαριστημένοι με τις αγορές μας.

I had a **long** day at work and finally had some time to myself, so I decided to go shopping at the mall. I needed some new clothes for the **upcoming** season. As soon as I walked in, I saw all the bright lights and shiny storefronts. I headed to my favourite store first and started browsing through the racks. I found a few cute tops and tried them on in the dressing room. As I was looking at myself in the mirror, I heard someone coming into the **dressing** room next to mine. I recognised their voice as one of my co-workers. We said hello and started chatting about work. After a few minutes, we both finished up and went our **separate** ways, but then ran into each other again later. We continued chatting and realised that we had more in common than we thought. We finished our drinks and then headed home for the night, **exhausted** from a long day of shopping but happy with our purchases nonetheless.

ερωτήσεις κατανόησης

1. Πού σας αρέσει να αποθηκεύετε περισσότερο;

2. Ποιο είναι το αγαπημένο σας κατάστημα στο εμπορικό κέντρο;

3. Πόση ώρα μένετε συνήθως στο εμπορικό κέντρο;

4. Τι πιστεύετε για τους ανθρώπους που περνούν πολύ χρόνο στο εμπορικό κέντρο;

5. Ποιο είναι το αγαπημένο σας πράγμα που κάνετε στο εμπορικό κέντρο;

6. Έχετε αγοράσει ποτέ κάτι στο εμπορικό κέντρο ενώ δεν το χρειαζόσασταν πραγματικά;

7. Πώς αντιδράτε όταν βλέπετε στο εμπορικό κέντρο κάτι που θα σας άρεσε πολύ, αλλά είναι πολύ ακριβό;

8. Έχετε δει ποτέ κάτι στο εμπορικό κέντρο και αναρωτηθήκατε ποιος θα το αγόραζε;

9. Ποια είναι η γνώμη σας για τους ανθρώπους που είναι απασχολημένοι με τα κινητά τους τηλέφωνα στο εμπορικό κέντρο αντί να κοιτάζουν τα καταστήματα;

Comprehension Questions

1. Where do you like to store the most?

2. What is your favorite store in the mall?

3. How long do you usually stay at the mall?

4. What do you think about people who spend a lot of time at the mall?

5. what is your favorite thing to do at the mall?

6. Have you ever bought something at the mall when you didn't really need it?

7. How do you react when you see something at the mall that you would really like, but it is too expensive?

8. Have you ever seen something at the mall and wondered who would buy it?

9. What is your opinion about people who are busy with their cell phones in the mall instead of looking at the stores?

Στην αγορά

Ξυπνάω νωρίς το πρωί του Σαββάτου, ανυπομονώντας να πάω στην **αγορά** πριν γίνει πολύς κόσμος. Φοράω μερικά ρούχα και βγαίνω από την πόρτα, παίρνοντας τις επαναχρησιμοποιούμενες τσάντες μου στο δρόμο. Καθώς περπατάω, αρχίζω να σχεδιάζω τι θέλω να φτιάξω για την εβδομάδα που έρχεται. Ξέρω ότι θέλω να **ψήσω** λαχανικά τουλάχιστον μία φορά, οπότε θα πρέπει να αγοράσω λαχανικά καλής ποιότητας. Θέλω επίσης να φτιάξω μια σούπα ή ένα στιφάδο, οπότε θα πρέπει να πάρω και κρέας. Θα πρέπει να δω τι φαίνεται καλό όταν φτάσω εκεί. Η αγορά είναι μόνο μερικά τετράγωνα μακριά, και μπορώ ήδη να δω τους πάγκους που έχουν στηθεί και τον **κόσμο που** κυκλοφορεί.

At the Market

I wake up early on Saturday morning, eager to get to the **market** before it gets too crowded. I throw on some clothes and head out the door, grabbing my reusable bags on the way. As I walk, I start planning what I want to make for the week ahead. I know I want to **roast** vegetables at least once, so I'll need to buy some good quality vegetables. I also want to make a soup or stew, so I'll need to get some meat as well. I'll have to see what looks good when I get there. The market is only a few blocks away, and I can already see the stalls set up and the **people** milling about.

Φτάνω στην αγορά και κατευθύνομαι κατευθείαν στον πάγκο με τα λαχανικά. Η ποικιλία είναι πανέμορφη και γεμίζω τις σακούλες μου με μια ποικιλία **φρέσκων** προϊόντων. Κουβεντιάζω για λίγο με τον αγρότη και μου προτείνει μερικές συνταγές. Είμαι ενθουσιασμένη να τις δοκιμάσω. Κουβεντιάζω με τους **αγρότες** καθώς ψωνίζω, γνωρίζοντας τους ίδιους και τα προϊόντα τους. Αφού έχω όλα τα λαχανικά που χρειάζομαι, προχωρώ στο τμήμα κρέατος. Εδώ είμαι λίγο πιο διστακτική, καθώς δεν είμαι σίγουρη για το τι θέλω να πάρω. Τελικά αποφασίζω για το κοτόπουλο, επειδή είναι ευέλικτο και μπορεί να χρησιμοποιηθεί σε διάφορα πιάτα. Αγοράζω επίσης μερικά διαφορετικά κομμάτια κρέατος, φροντίζοντας να πάρω βοδινό κρέας από βοσκή χόρτου και **κοτόπουλο** ελευθέρας βοσκής. Ο χασάπης ήταν ένας φιλικός άνθρωπος, πάντα χαρούμενος παρά τις πολλές ώρες που δούλευε. Τύλιξε τα στήθη κοτόπουλου και τη μπριζόλα μου πριν μου μιλήσει για τα σχέδια του Σαββατοκύριακου. Τον αποχαιρέτησα και συνέχισα το δρόμο μου. Αγόρασα επίσης μερικά αυγά και τυρί από το τμήμα γαλακτοκομικών προϊόντων.

I arrive at the market and head straight for the vegetable stand. The selection is beautiful, and I fill my bags with a variety of **fresh** produce. I chat with the farmer for a bit, and he recommends some recipes to me. I'm excited to try them out. I chat with the **farmers** as I shop, getting to know them and their products. After I have all the vegetables I need, I move on to the meat section. I'm a bit more hesitant here, as I'm not sure what I want to get. I eventually decide on chicken because it is versatile and can be used in a variety of dishes. I also buy a few different cuts of meat, making sure to get grass-fed beef and free-range **chicken**. The butcher was a friendly man, always cheerful despite the long hours he worked. He wrapped up my chicken breasts and steak before chatting to me about his weekend plans. I said goodbye to him and continued on my way. I also grabbed some eggs and cheese from the dairy section.

Η αγορά έσφυζε από κόσμο, όλοι τους ανυπόμονοι να πάρουν στα **χέρια** τους τα φρέσκα προϊόντα και το κρέας που προσφέρονταν. Ο αέρας μύριζε σκόρδο και κρεμμύδια και ο ήχος από τα γέλια και τις συζητήσεις γέμιζε τον αέρα. Περνούσα μέσα από το πλήθος, διαλέγοντας τα υπόλοιπα είδη που χρειαζόμουν για το εβδομαδιαίο μου ψώνιο. Γέμισα το **καλάθι** μου με φρούτα και λαχανικά, ζυμαρικά και ψωμί, πριν κατευθυνθώ προς το ταμείο. Η ουρά ήταν μεγάλη, αλλά προχωρούσε γρήγορα. Τελικά, τα τελευταία **ψώνια** είχαν αγοραστεί και ήταν ώρα να πάω σπίτι. Το αυτοκίνητο φορτώθηκε, και η διαδρομή μέχρι το σπίτι ήταν μακρά και κουραστική. Η κίνηση ήταν έντονη και η ζέστη καταπιεστική. Τελικά, το αυτοκίνητο μπήκε στο δρόμο και η ανακούφιση ήταν αισθητή. Το σπίτι ήταν δροσερό και ήσυχο, και ήταν ένα καταφύγιο μετά τη **φασαρία** της αγοράς. Τα πάντα τακτοποιήθηκαν και το σπίτι σύντομα επέστρεψε στη συνηθισμένη του ηρεμία και γαλήνη. Είχα όλα όσα χρειαζόμουν για να φτιάξω μερικά **νόστιμα** γεύματα για μένα και την οικογένειά μου. Ήταν ωραίο να βρίσκομαι στο σπίτι.

The market was bustling with people, all of them eager to get their **hands** on the fresh produce and meat that were on offer. The air was thick with the smell of garlic and onions, and the sound of laughter and conversation filled the air. I made my way through the crowd, picking out the other items I needed for my weekly shop. I filled my **basket** with fruit and vegetables, pasta and bread, before heading to the checkout. The queue was long, but it moved quickly. Finally, the last of the **groceries** were bought, and it was time to go home. The car was loaded up, and the drive home was long and tedious. The traffic was heavy and the heat was oppressive. Finally, the car pulled into the driveway and the relief was palpable. The house was cool and quiet, and it was a haven after the **hustle** and bustle of the market. Everything was put away, and the house was soon back to its usual peace and quiet. I had everything I needed to make some **delicious** meals for myself and for my family. It was good to be home.

ερωτήσεις κατανόησης

1. Πού πηγαίνει το άτομο;

2. Τι θέλει να αγοράσει το άτομο;

3. Πόσες τσάντες έχει το άτομο;

4. Πόσο μακριά είναι η αγορά;

5. Τι κάνει το άτομο αυτή τη στιγμή;

6. Τι είναι τα πάντα στην αγορά;

7. Πόσοι άνθρωποι βρίσκονται στην αγορά;

8. Πόσο καιρό χρειάστηκε το άτομο για να αγοράσει τα πάντα;

9. Πώς πήγε το άτομο στο σπίτι του;

10. Τι έκανε το άτομο όταν έφτασε στο σπίτι;

Comprehension Questions

1. Where is the person going?

2. What does the person want to buy?

3. How many bags does the person have?

4. How far away is the market?

5. What is the person doing right now?

6. What is everything in the market?

7. How many people are in the market?

8. How long did it take the person to buy everything?

9. How did the person go home?

10. What did the person do when he or she got home?

Σε μια καφετέρια

Ήταν ένα ψυχρό **φθινοπωρινό** πρωινό και είχα κανονίσει να συναντήσω τη φίλη μου τη Lily στην αγαπημένη μας καφετέρια για έναν καφέ. Τυλίχτηκα ζεστά με το παλτό και το κασκόλ μου και ξεκίνησα. Τα φύλλα έπεφταν από τα δέντρα και ο αέρας είχε ένα τσίμπημα, αλλά ο ήλιος έλαμπε και υποσχόταν να είναι μια όμορφη μέρα. Καθώς περπατούσα, **σκεφτόμουν** πόσο καλό ήταν να έχω μια φίλη σαν τη Λίλι. Ήμασταν φίλες εδώ και χρόνια, από τότε που γνωριστήκαμε στο **πανεπιστήμιο**. Μας έδεσε η αγάπη μας για τον καφέ και το να περνάμε χρόνο συζητώντας σε καφετέριες. Παρόλο που πλέον ζούσαμε σε διαφορετικά μέρη της πόλης, εξακολουθούσαμε να συναντιόμαστε για καφέ μια φορά την εβδομάδα. Έφτασα στην καφετέρια και η Lily ήταν ήδη εκεί και με περίμενε. Αγκαλιαστήκαμε για να χαιρετηθούμε και στη συνέχεια παραγγείλαμε τον καφέ μας. Βρήκαμε ένα τραπέζι δίπλα στο παράθυρο και καθίσαμε να κουβεντιάσουμε. Ο **καφές** ήταν υπέροχος, όπως πάντα, και ήταν τόσο ωραίο να τα λέμε με τη Λίλι. Μιλήσαμε για την εβδομάδα μας, τις δουλειές μας και τα σχέδιά μας για το μέλλον. Ήταν πάντα τόσο εύκολο να μιλάς στη Λίλι και ένιωθα ότι μπορούσα να της πω τα πάντα. Μετά από λίγο, αρχίσαμε να πεινάμε και **αποφασίσαμε** να παραγγείλουμε φαγητό.

At a Cafe

It was a chilly **autumn** morning, and I had arranged to meet my friend Lily at our favourite cafe for a coffee. I wrapped up warm in my coat and scarf and set off. The leaves were falling from the trees and the air had a nip to it, but the sun was shining and it promised to be a beautiful day. As I walked, I **thought** about how good it was to have a friend like Lily. We had been friends for years, ever since we met at **university**. We bonded over our love of coffee and spending time chatting in cafes. Even though we now lived in different parts of the city, we still managed to meet up for coffee once a week. I arrived at the cafe, and Lily was already there, waiting for me. We hugged each other hello and then ordered our coffees. We found a table by the window and settled down to chat. The **coffee** was delicious, as always, and it was so nice to catch up with Lily. We talked about our week, our jobs, and our plans for the future. It was always so easy to talk to Lily, and I felt like I could tell her anything. After a while, we started to get hungry and **decided** to order some food.

Παραγγείλαμε το φαγητό μας και βρήκαμε θέση δίπλα στο παράθυρο. Ο ήλιος έμπαινε μέσα από το παράθυρο, κάνοντας τα πάντα να μοιάζουν ζεστά και χαρούμενα. Συζητούσαμε καθώς τρώγαμε το φαγητό μας, απολαμβάνοντας την απλή ευχαρίστηση της **παρέας του** άλλου. Η καφετέρια ήταν γεμάτη, αλλά δεν αισθανόμασταν συνωστισμό. Υπήρχε μια αίσθηση γαλήνης και ικανοποίησης στον αέρα. Καθώς τελειώναμε το φαγητό μας, καθίσαμε για λίγο ακόμα, απολαμβάνοντας την ειρηνική **ατμόσφαιρα**. Μιλήσαμε για λίγο για διάφορα πράγματα που συνέβαιναν στη ζωή μας. Ήταν τόσο ωραίο να τα λέμε με τη φίλη μου και να **χαλαρώνουμε**. Ο ήλιος έλαμπε μέσα από το παράθυρο και ένιωθα ότι **τίποτα δεν** μπορούσε να χαλάσει την τέλεια μέρα μας.

We **ordered** our food and found a seat by the window. The sun was shining in through the window, making everything feel warm and happy. We chatted as we ate our food, enjoying the simple pleasure of being in each other's **company**. The cafe was busy, but it didn't feel crowded. There was a feeling of peace and contentment in the air. As we finished our food, we sat for a while longer, just enjoying the peaceful **atmosphere**. We talked for a while about different things that had been going on in our lives. It was so nice to catch up with my friend and just **relax**. The sun was shining through the window, and it felt like **nothing** could ruin our perfect day.

Ξαφνικά, άκουσα έναν δυνατό κρότο. Γύρισα και είδα ότι ένας άνδρας είχε πέσει από το ταβάνι και βρισκόταν στο πάτωμα μπροστά μας. Ήταν **καλυμμένος** με σκόνη και συντρίμμια και φαινόταν να είναι αναίσθητος. Ο φίλος μου και εγώ ήμασταν και οι δύο σε κατάσταση σοκ καθώς κοιτούσαμε τον άνδρα που βρισκόταν στο πάτωμα. Δεν ξέραμε τι να κάνουμε ή ποιον να καλέσουμε για βοήθεια. Απλά καθόμασταν εκεί και τον κοιτούσαμε, χωρίς να ξέρουμε τι να κάνουμε. Μετά από λίγα λεπτά, συνήλθα και κάλεσα το 100. Ο τηλεφωνητής μου είπε ότι κάποιος θα ερχόταν σύντομα. Έκλεισα το τηλέφωνο και είπα στον φίλο μου τι είχε πει ο **τηλεφωνητής.** Καθίσαμε και οι δύο εκεί περιμένοντας να έρθει βοήθεια. Μας φάνηκε σαν να πέρασε μια αιωνιότητα, αλλά τελικά εμφανίστηκε ένα ασθενοφόρο. Οι τραυματιοφορείς έσπευσαν μέσα και άρχισαν να ασχολούνται με τον άνδρα. Γρήγορα διαπίστωσαν ότι ήταν τραυματισμένος και έπρεπε να μεταφερθεί στο **νοσοκομείο.** Ο φίλος μου και εγώ ανακουφιστήκαμε που έφτασε η βοήθεια και που ο άνδρας θα γινόταν καλά. **Τελειώσαμε** το φαγητό μας και συνεχίσαμε τη μέρα μας, ευγνώμονες που όλα πήγαν καλά στο τέλος.

Suddenly, I heard a loud crash. I turned around to see that a man had fallen through the ceiling and was lying on the floor in front of us. He was **covered** in dust and debris and appeared to be unconscious. My friend and I were both in shock as we stared at the man lying on the floor. We didn't know what to do or who to call for help. We just sat there staring at him, not knowing what to do. After a few minutes, I snapped out of it and called 911. The operator told me that someone would be there soon. I hung up the phone and told my friend what the **operator** had said. We both just sat there waiting for help to arrive. It felt like forever, but eventually an ambulance **showed** up. The paramedics rushed in and started working on the man. They quickly determined that he was injured and needed to be taken to the **hospital**. My friend and I were relieved that help had arrived and that the man was going to be okay. We **finished** our food and went on with our day, thankful that everything turned out alright in the end.

ερωτήσεις κατανόησης

1. Από πού προέρχεται ο άνθρωπος που πέφτει από την οροφή;

2. Γιατί βρίσκεται η γυναίκα με τη φίλη της στο καφενείο;

3. Ποιο είναι το αγαπημένο καφέ των δύο φίλων;

4. Πόσο καιρό γνωρίζονται οι δύο φίλοι;

5. Ποιο είναι το αγαπημένο ποτό των δύο φίλων;

6. Σε ποια πόλη ζουν οι δύο φίλοι;

7. Πόσο συχνά συναντιούνται οι δύο φίλοι;

8. Τι συζητούν οι δύο φίλοι όταν συναντιούνται για πρώτη φορά στο αγαπημένο τους καφέ;

9. Ποιο είναι το αγαπημένο φαγητό των δύο φίλων;

10. Γιατί είναι τόσο εύκολο να μιλάς στη Λίλι;

Comprehension Questions

1. Where does the man who falls through the roof come from?

2. Why is the woman with her friend in the café?

3. What is the two friends' favorite café?

4. How long have the two friends known each other?

5. What is the two friends' favorite drink?

6. In which city do the two friends live?

7. How often do the two friends meet?

8. What do the two friends talk about when they first meet at their favorite café?

9. What is the favorite food of the two friends?

10. Why is it so easy to talk to Lily?

Πηγαίνοντας για κολύμπι

Η πισίνα ήταν πάντα ένα **αναζωογονητικό** μέρος, και σήμερα δεν ήταν διαφορετικό. Ο ήλιος έλαμπε και το νερό φαινόταν φιλόξενο. Πήρα μια βαθιά ανάσα και βούτηξα μέσα, νιώθοντας τη δροσερή αγκαλιά του νερού. Κολύμπησα για λίγο, απολαμβάνοντας την άσκηση και την ευκαιρία να καθαρίσω το μυαλό μου. Μετά από λίγο, βγήκα έξω και στεγνώθηκα, και στη συνέχεια κάθισα σε μια πετσέτα για να χαλαρώσω στον ήλιο. Έκλεισα τα μάτια μου και άφησα τη **ζεστασιά να** με πλημμυρίσει, νιώθοντας τους μυς μου να αρχίζουν να χαλαρώνουν. Ξαφνικά, άκουσα έναν παφλασμό και άνοιξα τα μάτια μου για να δω τη μικρή μου αδελφή **να κωπηλατεί στο** ρηχό μέρος. Χαμογέλασα και την παρακολούθησα για λίγο, μετά σηκώθηκα και πήγα κοντά της. Κουβεντιάσαμε για λίγο και κωπηλατήσαμε μαζί, απολαμβάνοντας ο ένας την παρέα του άλλου. Σύντομα ήρθαν και οι γονείς μας και περάσαμε το υπόλοιπο απόγευμα κολυμπώντας και παίζοντας παιχνίδια μαζί. Ήταν πάντα πολύ ωραίο να περνάμε χρόνο με την οικογένεια στην πισίνα. Υπάρχει **κάτι στο** να είσαι μέσα στο νερό που φαίνεται να φέρνει τους ανθρώπους κοντά. Ίσως επειδή είμαστε όλοι ίσοι όταν είμαστε στο νερό - δεν μπορούμε να κρύψουμε τα ελαττώματά μας ή να προσποιηθούμε ότι είμαστε κάτι που δεν είμαστε. Ή ίσως είναι απλά επειδή έχει

Going Swimming

The pool was always a **refreshing** place to be, and today was no different. The sun was shining and the water looked inviting. I took a deep breath and dove in, feeling the cool embrace of the water. I swam laps for a while, enjoying the exercise and the chance to clear my head. After a while, I got out and dried off, then sat down on a towel to relax in the sun. I closed my eyes and let the **warmth** wash over me, feeling my muscles start to relax. Suddenly, I heard a splash and opened my eyes to see my little sister **paddling** around in the shallow end. I smiled and watched her for a while, then stood up and walked over to her. We chatted for a bit and paddled around together, enjoying each other's company. Soon, our parents joined us, and we spent the rest of the afternoon swimming and playing games together. It was always so nice to spend time with the family at the pool. There's **something** about being in the water that just seems to bring people together. Maybe it's because we're all equal when we're in the water—we can't hide our flaws or pretend to be something we're not. Or maybe it's just because it's fun! **Whatever** the reason, I was just glad that we could all come together and enjoy each other's company in such a special place.

πλάκα! **Όποιος κι αν είναι** ο λόγος, απλά χάρηκα που μπορέσαμε να βρεθούμε όλοι μαζί και να απολαύσουμε ο ένας την παρέα του άλλου σε ένα τόσο ξεχωριστό μέρος.

Ο ήλιος χτυπούσε το δέρμα μου και η μυρωδιά του χλωρίου βρισκόταν στον αέρα. Άκουγα τους ήχους των παιδιών που γελούσαν και πλατσούριζαν στην πισίνα. Ήμουν ξαπλωμένη σε μια ξαπλώστρα δίπλα στην πισίνα, απολαμβάνοντας τον ήλιο και **απολαμβάνοντας** τη μέρα. Είχα κλείσει τα μάτια μου και ήμουν έτοιμη να πέσω για ύπνο όταν άκουσα κάποιον να με πλησιάζει. Άνοιξα τα μάτια μου και είδα μια γυναίκα να στέκεται δίπλα μου. Φορούσε μπικίνι και είχε τυλίξει μια πετσέτα γύρω από τη μέση της. Είχε μακριά ξανθά μαλλιά και μπλε μάτια. Κρατούσε ένα μπουκάλι **αντηλιακό** στο χέρι της. "Σε πειράζει να βάλω λίγο αντηλιακό στην πλάτη σου;" με ρώτησε. "Όχι, δεν πειράζει", είπα, καθισμένος ώστε να μπορεί να φτάσει στην πλάτη μου. Ένιωσα τα χέρια της στο δέρμα μου καθώς έβαζε το αντηλιακό.

The sun was beating down on my skin and the smell of chlorine was in the air. I could hear the sounds of kids laughing and splashing around in the pool. I was lying on a **lounge** chair next to the pool, soaking up the sun and **enjoying** the day. I had my eyes closed and was just about to drift off to sleep when I heard someone walking up to me. I opened my eyes and saw a woman standing next to me. She was wearing a bikini and had a towel wrapped around her waist. She had long blonde hair and blue eyes. She was holding a bottle of **sunscreen** in her hand. "Do you mind if I put some sunscreen on your back?" she asked. "No, that's fine," I said, sitting up so she could reach my back. I felt her hands on my skin as she applied the sunscreen.

Το άγγιγμά της ήταν απαλό και η μυρωδιά του αντηλιακού ήταν καταπραϋντική. Έκλεισα ξανά τα μάτια μου και άφησα τον εαυτό μου να χαλαρώσει. Μπορούσα να ακούσω τον **ήχο** της κίνησής της, αλλά δεν άνοιξα τα μάτια μου. Μου αρκούσε να ξαπλώνω εκεί στον ήλιο, ακούγοντας τον ήχο των κυμάτων που **χτυπούσαν στην** ακτή. Μετά από λίγα λεπτά, απομακρύνθηκε και άνοιξα τα μάτια μου. Την παρακολουθούσα καθώς επέστρεφε στην πολυθρόνα της και έπαιρνε το βιβλίο της. Κάθισε στην καρέκλα της και άρχισε να διαβάζει. Έκλεισα ξανά τα μάτια μου και άφησα τον εαυτό μου να αποκοιμηθεί. **Ονειρεύτηκα** ότι κολυμπούσα στην πισίνα, κάνοντας γύρους μπρος-πίσω. Το νερό ήταν αναζωογονητικό και δροσερό στο δέρμα μου. Ένιωθα τον ήλιο στο πρόσωπό μου και τη ζεστασιά του νερού που με περιέβαλλε. Κολυμπούσα για ώρες, μέχρι που τελικά έφτασα στην άλλη πλευρά της πισίνας και βγήκα έξω. Σκουπίστηκα και ξάπλωσα στην ξαπλώστρα μου. Ένιωσα κάποιον να κάθεται δίπλα μου και άνοιξα **τα μάτια** μου για να δω τη γυναίκα που είχα δει νωρίτερα. Μου έδωσε ένα παγωμένο ποτό και καθίσαμε εκεί μαζί, απολαμβάνοντας τον ήλιο και την παρέα του άλλου.

Her touch was gentle and the scent of the sunscreen was soothing. I closed my eyes again and let myself relax. I could hear the **sound** of her moving around, but I didn't open my eyes. I was content just lying there in the sun, listening to the sound of the waves **crashing** against the shore. After a few minutes, she walked away, and I opened my eyes. I watched her as she walked back to her lounge chair and picked up her book. She settled into her chair and began reading. I closed my eyes again and let myself drift off to sleep. I **dreamed** that I was swimming in the pool, doing laps back and forth. The water was refreshing and cool on my skin. I could feel the sun on my face and the warmth of the water surrounding me. I swam for what **seemed** like hours, until finally I reached the other side of the pool and climbed out. I towelled myself off and lay down on my lounge chair. I felt someone sit down next to me, and I opened my **eyes** to see the woman from earlier. She handed me a cold drink, and we sat there together, enjoying the sun and each other's company.

ερωτήσεις κατανόησης

1. Πού βρισκόταν ο αφηγητής όταν αρχίζει την ιστορία;

2. Τι μυρίζει ο αφηγητής όταν ανοίγει τα μάτια του;

3. Τι ακούει ο αφηγητής όταν ανοίγει τα μάτια του;

4. Ποιανού αντηλιακό δίνει η γυναίκα στον αφηγητή;

5. Τι ονειρεύεται ο αφηγητής;

6. Γιατί το κολύμπι στη θάλασσα είναι τόσο ξεχωριστό για τον αφηγητή;

7.Πώς αισθάνεται το νερό στο οποίο κολυμπάει ο αφηγητής;

8. Τι βλέπει ο αφηγητής όταν βγαίνει από το νερό;

9. Τι κάνει η γυναίκα αφού βάλει το αντηλιακό στον αφηγητή;

Comprehension Questions

1. Where was the narrator when he begins the story?

2. What does the narrator smell when he opens his eyes?

3. What does the narrator hear when he opens his eyes?

4. Whose sunscreen does the woman give the narrator?

5. What is the narrator dreaming about?

6. Why is swimming in the sea so special for the narrator?

7.How does the water in which the narrator swims feel?

8. What does the narrator see when he comes out of the water?

9. What does the woman do after she puts the sunscreen on the narrator?

Κούρεμα του γκαζόν

Είναι 10 το πρωί ενός καλοκαιρινού **Σαββάτου** και
ο ήλιος ήδη χτυπάει ανελέητα. Βγαίνεις στο γκαράζ
για να φέρεις τη μηχανή του γκαζόν, νιώθοντας ότι
καταδικάζεσαι σε καταναγκαστική εργασία. Ξεκινάς να
κουρεύεις το γκαζόν, φροντίζοντας να πηγαίνεις όμορφα
και αργά για να μην χάσεις κανένα σημείο. Καθώς
κουρεύεις, σκέφτεσαι πόσο ωραία είναι να είσαι έξω
στον καθαρό αέρα. Καθώς αρχίζετε να σπρώχνετε το
χλοοκοπτικό μπρος-πίσω στο γκαζόν, βλέπετε με την
άκρη του **ματιού σας τον** γείτονά σας. Χαιρετάτε τον
γείτονα και τον χαιρετάτε και αυτός σας χαιρετάει.

Mowing the Lawn

It's 10 in the morning on a summer **Saturday**, and the sun is already beating down mercilessly. You trudge out to the garage to fetch the lawn mower, feeling like you're being **sentenced** to hard labor. You start mowing the lawn, making sure to go nice and slow so you don't miss any spots. As you're mowing, you think about how good it feels to be outside in the fresh air. As you start pushing the mower back and forth across the lawn, you see your neighbour out of the corner of your **eye**. You wave and say hi, and he waves back.

Μετά από λίγα λεπτά, τελειώνετε και πηγαίνετε στο σπίτι του γείτονά σας για να πιείτε μια μπύρα μαζί του στον κήπο. Είναι μια **τέλεια** μέρα - όχι πολύ ζεστή, με ένα απαλό αεράκι να φυσάει. Κάθεστε εκεί στη σκιά του δέντρου, πίνοντας την μπύρα σας και συζητώντας με τον γείτονά σας. Τέτοιες μέρες σε κάνουν να εκτιμάς το καλοκαίρι. Στη συνέχεια **μπαίνετε** μέσα για μια μπύρα που σας αξίζει. Ξαπλώνεις σε μια καρέκλα στη βεράντα και ανοίγεις το κουτάκι, αφήνοντας έναν ικανοποιημένο αναστεναγμό. Ο ήχος του χλοοκοπτικού μηχανήματος περνάει στο παρασκήνιο καθώς χαλαρώνεις στη σκιά, απολαμβάνοντας την **ηρεμία της** στιγμής. Η μπύρα έχει πολύ καλή γεύση μετά από όλη αυτή τη σκληρή δουλειά στη ζέστη. Ήμουν έτοιμος να πάω μέσα, όταν άκουσα έναν θόρυβο δίπλα.

After a few minutes, you're done, and you head over to your neighbour's house to have a beer with him in the front garden. It's a **perfect** day—not too hot, with a gentle breeze blowing. You sit there in the shade of the tree, sipping your beer and chatting with your neighbour. It's days like this that make you appreciate summertime. Then you **head** inside for a well-deserved beer. You flop down in a chair on the front porch and crack open the can, letting out a contented sigh. The sound of the mower fades into the background as you relax in the shade, enjoying the **peacefulness** of the moment. The beer tastes extra good after all that hard work in the heat. I was about to head inside when I heard a noise next door.

Ακουγόταν σαν κάποιος να έκλαιγε. Σταμάτησα να κουρεύω και πήγα στον φράχτη που χώριζε τις αυλές μας. Κοίταξα και είδα τη γειτόνισσά μου, την κυρία Τζόνσον, να κλαίει στην κούνια της βεράντας της. Της φώναξα, αλλά δεν με άκουσε. Σκαρφάλωσα πάνω από τον φράχτη και την πλησίασα. "Κυρία Τζόνσον, είστε καλά;" ρώτησα. Με κοίταξε με δάκρυα στα μάτια και κούνησε το κεφάλι της. "Όχι, δεν είμαι καλά", είπε. "Η γάτα μου πέθανε χθες". Σοκαρίστηκα. Δεν ήξερα τι να πω. Απλώς στεκόμουν εκεί αμήχανα, χωρίς να ξέρω τι να κάνω. Τελικά, έβαλα το χέρι μου στον **ώμο** της και της είπα: "Λυπάμαι πολύ, κυρία Τζόνσον. Αν υπάρχει κάτι που μπορώ να κάνω για να βοηθήσω, παρακαλώ ενημερώστε με. " Εκείνη κούνησε το κεφάλι της και είπε: "Όχι, δεν υπάρχει **τίποτα** που μπορεί να κάνει κανείς". Μετά σηκώθηκε και μπήκε μέσα στο σπίτι της. Στάθηκα εκεί για μια στιγμή, χωρίς να ξέρω τι να κάνω. Μετά επέστρεψα να κουρέψω το γκαζόν μου. Καθώς τελείωνα, δεν μπορούσα παρά να σκεφτώ την κυρία Τζόνσον και τη γάτα της.

It **sounded** like someone was crying. I stopped mowing and walked over to the fence that separated our yards. I peered over and saw my neighbor, Mrs. Johnson, crying on her porch swing. I called out to her, but she didn't hear me. I climbed over the fence and walked over to her. "Mrs. Johnson, are you okay?" I asked. She looked up at me with tears in her eyes and shook her head. "No, I'm not okay," she said. "My cat died yesterday." I was shocked. I didn't know what to say. I just stood there awkwardly, not knowing what to do. Finally, I put my hand on her **shoulder** and said, "I'm so sorry, Mrs. Johnson. If there's anything I can do to help, please let me know. " She shook her head and said, "No, there's **nothing** anyone can do." Then she got up and went inside her house. I stood there for a moment, not knowing what to do. Then I went back to mowing my lawn. As I finished up, I couldn't help but think about Mrs. Johnson and her cat.

ερωτήσεις κατανόησης

1. Τι ώρα είναι;

2. Πού βρίσκεται το άτομο που κουρεύει;

3. Πώς αισθάνεται το άτομο;

4. Γιατί το άτομο πρέπει να κουρεύει αργά;

5. Τι καιρό έχουμε;

6. Τι κάνει το άτομο μετά το κούρεμα;

7. Τι ακούει το άτομο πριν πάει στο σπίτι του;

8. Ποιος είναι με την κα Τζόνσον;

9. Γιατί κλαίει η κυρία Τζόνσον;

10. Τι λέει το άτομο στην κυρία Τζόνσον;

Comprehension Questions

1. What time is it?

2. Where is the person mowing?

3. How does the person feel?

4. Why does the person have to mow slowly?

5. What kind of weather is it?

6. What is the person doing after mowing?

7. What does the person hear before going home?

8. Who is with Mrs. Johnson?

9. Why is Mrs. Johnson crying?

10. What does the person say to Mrs. Johnson?

Κούρεμα

Ήθελα να κουρευτώ εδώ και εβδομάδες, αλλά πάντα κατάφερνα να το αναβάλλω. Αλλά με τα **Χριστούγεννα να είναι προ των πυλών**, ήξερα ότι δεν μπορούσα να το αναβάλλω άλλο. Δεν ήθελα να εμφανιστώ στο χριστουγεννιάτικο δείπνο της οικογένειάς μου σαν ένα ατημέλητο χάλι. Έτσι, νωρίς το πρωί των Χριστουγέννων, πήγα στο κομμωτήριο. Παρόλο που ήταν νωρίς, το κομμωτήριο ήταν ήδη απασχολημένο με άλλους ανθρώπους **που** έφτιαχναν τα μαλλιά τους για τις γιορτές. Πήρα τη θέση μου στην ουρά και περίμενα τη σειρά μου. Τελικά, ήρθε η σειρά μου στην καρέκλα. Η στιλίστρια, μια φιλική γυναίκα ονόματι Jill, με ρώτησε τι ήθελα. "Απλά ένα κούρεμα, τίποτα δραστικό", απάντησα. Η Τζιλ έπιασε δουλειά, κόβοντας τα μαλλιά μου. Καθώς δούλευε, άρχισα να χαλαρώνω. Ένιωθα ωραία που επιτέλους φρόντιζα τον εαυτό μου. Ήμουν τόσο απασχολημένη τον τελευταίο καιρό, τρέχοντας να φροντίζω όλους τους άλλους, που είχα αφήσει τις δικές μου ανάγκες να περάσουν στο περιθώριο. Αλλά όχι **πια**. Από τώρα και στο εξής, θα έβρισκα χρόνο για τον εαυτό μου.

Getting a Haircut

I had been meaning to get a haircut for weeks, but somehow always managed to put it off. But with **Christmas** just around the corner, I knew I couldn't put it off any longer. I didn't want to show up to my family's Christmas dinner looking like a scruffy mess. So, early on Christmas morning, I made my way to the salon. Even though it was early, the salon was already busy with other people **getting** their hair done for the holiday. I took my place in the line and waited my turn. Finally, it was my turn in the chair. The stylist, a friendly woman named Jill, asked me what I wanted. "Just a trim, nothing too drastic," I replied. Jill got to work, snipping away at my hair. As she worked, I began to relax. It felt good to finally be taking care of myself. I had been so busy lately, running around taking care of everyone else, that I had let my own needs fall by the wayside. But not **anymore**. From now on, I was going to make time for myself.

Όταν η Τζιλ τελείωσε, κοίταξα στον καθρέφτη και έμεινα ευχαριστημένη με αυτό που είδα. Τα μαλλιά μου έδειχναν τακτοποιημένα και γυαλισμένα - τέλεια για τις γιορτινές συγκεντρώσεις. **Ευχαρίστησα** την Τζιλ και σημείωσα στο **μυαλό μου** να έρχομαι πιο συχνά. Από τώρα και στο εξής, θα φροντίζω πρώτα απ' όλα τον εαυτό μου. Έπιασε δουλειά κόβοντας τα μαλλιά μου. Σκέφτηκα πόσο ευγνώμων ήμουν που επιτέλους είχα καταφέρει να κουρευτώ. Ένιωθα καλά που ήξερα ότι θα ήμουν ευπαρουσίαστη για το χριστουγεννιάτικο **δείπνο**. Δεν θα χρειαζόταν πλέον να ανησυχώ για την οικογένειά μου που θα με πείραζε για την "ατημέλητη" εμφάνισή μου. Μετά από λίγα λεπτά, ο κομμωτής τελείωσε με το κούρεμα των μαλλιών μου και μου έκανε ένα γρήγορο πιστολάκι. Κοίταξα στον καθρέφτη και ήμουν ευχαριστημένη με αυτό που έβλεπα - μια καθαρή εμφάνιση που θα ήταν τέλεια για το χριστουγεννιάτικο δείπνο. Τώρα που το κούρεμά μου είχε τελειώσει, μπορούσα να επικεντρωθώ στο να απολαύσω τις γιορτές με την οικογένειά μου. Και ήμουν ακόμα πιο ευγνώμων γι' αυτό.

When Jill was finished, I looked in the mirror and was pleased with what I saw. My hair looked tidy and polished—perfect for holiday gatherings. I **thanked** Jill and made a **mental** note to come back more often. From now on, I will take care of myself first and foremost. She got to work snipping away at my hair. I thought about how thankful I was that I had finally gotten around to getting my haircut. It felt good to know that I would look presentable for Christmas **dinner**. No longer would I have to worry about my family teasing me about my "scruffy" appearance. After a few minutes, the stylist was finished trimming my hair and gave me a quick blow dry. I looked in the mirror and was happy with what I saw—a clean-cut look that would be perfect for Christmas dinner. Now that my haircut was out of the way, I could focus on enjoying the holiday with my family. And I was even more thankful for that.

Ένιωσα τόσο **απελευθερωμένη** και μου άρεσε πολύ το νέο μου κούρεμα. Αφού πλήρωσα για το κούρεμά μου, πήγα σπίτι και άρχισα να μαζεύω τα πράγματά μου για το ταξίδι μου. Ανυπομονούσα να επιδείξω το νέο μου λουκ στην οικογένεια και τους φίλους μου. Ήξερα ότι θα εκπλαγούν όταν με δουν. Την ημέρα της πτήσης μου, έφτασα στο αεροδρόμιο με αρκετό χρόνο στη διάθεσή μου. Πέρασα από τον έλεγχο ασφαλείας χωρίς κανένα πρόβλημα και σύντομα ξεκίνησα το ταξίδι μου. Μόλις έφτασα στον προορισμό μου, ένιωσα τον ενθουσιασμό στον αέρα. Τα Χριστούγεννα ήταν σίγουρα στον αέρα! Η οικογένειά μου ήταν εκεί για να με υποδεχτεί στο αεροδρόμιο και όλοι έμειναν έκπληκτοι με το νέο μου κούρεμα. Περάσαμε τις επόμενες ημέρες **ενημερώνοντας** και απολαμβάνοντας ο ένας την **παρέα του άλλου**. Την παραμονή των Χριστουγέννων, πήγαμε όλοι μαζί στην εκκλησία και τραγουδήσαμε τα κάλαντα. Ήταν μια τέλεια γιορτή. Είμαι τόσο χαρούμενη που κουρεύτηκα πριν πάω διακοπές. Έκανε την όλη εμπειρία ακόμα πιο ξεχωριστή. Κάθε φορά που κοιτάζω πίσω τις **φωτογραφίες** από εκείνο το ταξίδι, θα θυμάμαι πάντα πόσο ωραία ένιωσα που επιτέλους ξεφορτώθηκα όλο αυτό το άχρηστο βάρος και ξεκίνησα φρέσκια με μια νέα εμφάνιση.

It felt so **liberating**, and I loved the way my new haircut looked. After I paid for my haircut, I went home and started packing for my trip. I **couldn't** wait to show off my new look to my family and friends. I knew they would be surprised when they saw me. On the day of my flight, I arrived at the airport with plenty of time to spare. I went through security without any problems, and soon I was on my way. As soon as I arrived at my destination, I could feel the excitement in the air. Christmas was definitely in the air! My family was there to greet me at the airport, and they were all amazed at my new haircut. We spent the next few days **catching** up and enjoying each other's **company**. On Christmas Eve, we all went to church together and sang carols. It was a perfect holiday. I'm so glad I got my haircut before going on vacation. It made the whole experience even more special. Every time I look back at **photos** from that trip, I'll always remember how good it felt to finally get rid of all that dead weight and start fresh with a new look.

ερωτήσεις κατανόησης

1. Τι έπρεπε να κάνει ο πρωταγωνιστής πριν από τα Χριστούγεννα;

2. Πώς ένιωθε η πρωταγωνίστρια για τη φροντίδα του εαυτού της;

3. Ποιος κούρευε τα μαλλιά του πρωταγωνιστή;

4. Γιατί η οικογένεια της πρωταγωνίστριας θα την πείραζε;

5. Πώς αισθάνθηκε η πρωταγωνίστρια μετά το κούρεμά της;

6. Τι έκανε η πρωταγωνίστρια αφού κουρεύτηκε;

7. Ποια ήταν η αντίδραση της οικογένειας της πρωταγωνίστριας στο κούρεμά της;

8. Τι έκανε ο πρωταγωνιστής την παραμονή των Χριστουγέννων;

9. Τι έκανε την εμπειρία του πρωταγωνιστή πιο ξεχωριστή;

Comprehension Questions

1. What did the protagonist need to do before Christmas?

2. How did the protagonist feel about taking care of herself?

3. Who trimmed the protagonist's hair?

4. Why was the protagonist's family going to tease her?

5. How did the protagonist feel after getting her haircut?

6. What did the protagonist do after getting her haircut?

7. What was the protagonist's family's reaction to her haircut?

8. What did the protagonist do on Christmas Eve?

9. What made the protagonist's experience more special?

Το πάρκο

Ο ήλιος έδυε και το πάρκο ήταν άδειο. Κάθισα στο παγκάκι, περιμένοντας τον **φίλο μου**. Είχαμε κανονίσει να συναντηθούμε εδώ πριν από μια ώρα, αλλά πάντα αργούσε. Εκεί που ήμουν έτοιμος να τα παρατήσω και να πάω σπίτι, την είδα να τρέχει προς το μέρος μου. "Λυπάμαι πολύ", ασθμαίνοντας έφτασε στον πάγκο. "Το τρένο μου **καθυστέρησε**"."Δεν πειράζει", είπα **με συγχώρεση**. "Μόλις έφτασα εδώ". Καθίσαμε και συζητήσαμε για λίγο, ενημερώνοντας ο ένας τη ζωή του άλλου από την τελευταία φορά που συναντηθήκαμε. Η συζήτηση κύλησε **εύκολα** και ήταν σαν να μην είχε περάσει καθόλου χρόνος από την τελευταία φορά που ειδωθήκαμε. Καθώς έδυε ο ήλιος, αποχαιρετιστήκαμε και πήραμε τους δρόμους μας. Την επόμενη φορά που συναντηθήκαμε, ήταν σε ένα διαφορετικό πάρκο. Και πάλι, είχε αργήσει, αλλά δεν με πείραξε. Ήταν ωραίο να έχω κάποιον να μιλήσω που με **καταλάβαινε.** Μιλήσαμε για τα όνειρα και τις **φιλοδοξίες** μας, για πράγματα που θέλαμε να κάνουμε στη ζωή μας. Εκείνη μου είπε για τα σχέδιά της να ταξιδέψει στον κόσμο και εγώ μοιράστηκα το όνειρό μου να γίνω συγγραφέας. Καθώς ο ήλιος έδυε σε μια άλλη μέρα, αποχαιρετιστήκαμε για άλλη μια φορά, υποσχόμενοι να κρατήσουμε επαφή αυτή τη φορά.

The park

The sun was setting, and the park was empty. I sat on the bench, waiting for my **friend**. We had planned to meet here an hour ago, but she was always late. Just as I was about to give up and go home, I saw her running towards me. "I'm so sorry," she panted as she reached the bench. "My train was **delayed**." "It's okay," I said **forgivingly**. "I just got here myself." We sat down and chatted for a while, catching up on each other's lives since we last met. The conversation flowed **easily**, and it felt like no time had passed at all since we last saw each other. As the sun set, we said our goodbyes and went our separate ways. The next time we met, it was in a different park. Again, she was late, but I didn't mind. It was nice to have someone to talk to who **understood** me. We talked about our dreams and **aspirations**, things we wanted to do with our lives. She told me about her plans to travel the world, and I shared my dream of becoming a writer. As the sun set on another day, we said goodbye once again, promising to keep in touch this time.

Τα χρόνια πέρασαν και η **φιλία** μας παρέμεινε ισχυρή, παρόλο που ζούσαμε πλέον σε διαφορετικά μέρη της χώρας. Κρατούσαμε επαφή μέσω επιστολών και περιστασιακών τηλεφωνημάτων, μοιραζόμενοι ο ένας με τον άλλον τα νέα της ζωής μας. Όταν ανακοίνωσε ότι παντρεύεται, δεν **εξεπλάγην** - ήταν πάντα **περιπετειώδης** τύπος. Αλλά όταν με ρώτησε αν θα ήμουν κουμπάρα της στη γαμήλια τελετή της που θα γινόταν στην άλλη άκρη του κόσμου από εκεί που ζούσα... χρειάστηκε να την πείσω! Στο τέλος όμως δεν μπορούσα να αφήσω την καλύτερή μου φίλη να παντρευτεί χωρίς εμένα στο πλευρό της, οπότε παρά τους φόβους μου (και μετά από πολλές παρακλήσεις της!) **συμφώνησα** να πάω μαζί της σε αυτό που αποδείχθηκε η **περιπέτεια** της ζωής μου.

Years passed, and our **friendship** remained strong even though we lived in different parts of the country now. We kept in touch through letters and occasional phone calls, sharing news of our lives with each other. When she announced that she was getting married, I wasn't **surprised** - she had always been the **adventurous** type. But when she asked me if I would be her maid of honor at her wedding ceremony taking place halfway around the world from where I lived... that took some convincing! In the end though I couldn't let my best friend get married without me by her side so despite my fears (and after much pleading from her!)I **agreed** to go along for what turned out to be the **adventure** of a lifetime.

Η ημέρα του **γάμου** έφτασε επιτέλους. Είχα άγχος, αλλά και ενθουσιασμό που θα συμμετείχα σε μια τόσο σημαντική στιγμή στη ζωή της φίλης μου. Η τελετή ήταν πανέμορφη και εκείνη έδειχνε ευτυχισμένη καθώς έλεγε τους όρκους της. **Στη συνέχεια**, γιορτάσαμε με ένα μεγάλο πάρτι - φαινόταν ότι όλοι όσοι γνώριζε είχαν έρθει να γιορτάσουν μαζί της! Ήταν μια **μαγική** μέρα που δεν θα ξεχάσω ποτέ, και η φιλία μας έγινε ακόμα πιο δυνατή μετά από αυτή την περιπέτεια. Τώρα, χρόνια αργότερα, εξακολουθούμε να κρατάμε επαφή. Έχουμε και οι δύο **αλλάξει** πολύ από τότε που πρωτογνωριστήκαμε, αλλά η φιλία μας είναι τόσο δυνατή όσο ποτέ. Κάθε φορά που συναντιόμαστε -είτε σε ένα πάρκο είτε στην **άλλη άκρη** του κόσμου- νιώθουμε σαν να μην έχει περάσει καθόλου χρόνος.

The day of the **wedding** finally arrived. I was nervous, but excited to be a part of such an important moment in my friend's life. The ceremony was beautiful, and she looked happy as she said her vows. **Afterward**, we celebrated with a big party – it seemed like everyone she knew had come to celebrate with her! It was a **magical** day that will never forget, and our friendship only grew stronger after that adventure. Now, years later, we still keep in touch. We've both **changed** a lot since we first met, but our friendship is as strong as ever. Whenever we meet up - whether it's in a park or **halfway** around the world - it feels like no time has passed at all.

ερωτήσεις κατανόησης

1. Πού συναντήθηκαν για πρώτη φορά η συγγραφέας και η φίλη της;

2. Γιατί ο φίλος του συγγραφέα άργησε στη συνάντησή τους;

3. Για τι μίλησαν οι φίλοι όταν συναντήθηκαν ξανά μετά από χρόνια;

4. Πώς αισθάνθηκε η συγγραφέας όταν παρακολούθησε τη γαμήλια τελετή της φίλης της;

5. Περιγράψτε το σκηνικό της γαμήλιας τελετής.

6. Πώς άλλαξε η φιλία μεταξύ των δύο γυναικών με την πάροδο του χρόνου;

7. Ποιο είναι το όνειρο του συγγραφέα;

8. Πού σκοπεύει να ταξιδέψει ο φίλος του συγγραφέα;

9. Γιατί η συγγραφέας δίσταζε να παραστεί στη γαμήλια τελετή της φίλης της;

Comprehension Questions

1. Where did the author and her friend first meet?

2. Why was the author's friend late to their meeting?

3. What did the friends talk about when they met up again years later?

4. How did the author feel about attending her friend's wedding ceremony?

5. Describe the setting of the wedding ceremony.

6. How has the friendship between the two women changed over time?

7. What is the author's dream?

8. Where does the author's friend plan to travel?

9. Why was the author hesitant to attend her friend's wedding ceremony?

Made in the USA
Las Vegas, NV
13 December 2023

82715014R00116